생명의 기원

(개정판)

권 오 식 · 유 민 편저

머리말

봄이 오면 자연과학대학 건물 앞의 조그마한 동산에 노란색의 개나리꽃이 피는데 나는 수업 중에 창밖을 내다보며 강의를 듣고 있는 학생들에게 다음과 같은 질문을 하곤 한다. "혹시 너희들은 개나리가 왜 봄이 되면 꽃을 피우는지 알고 있니?" 그러면 학생들 여러 가지 그럴싸한 대답을 들려준다. 봄이 되서 해가 길어져서요, 날씨가 따듯해지니까요. 비가 자주 왔기 때문입니다. 봄이 오면 개나리가 꽃피는 것은 당연한 것 아닙니까? 등등. 그러나 지구온난화의 영향인지 추운 11월 중순에도 그 곳에서는 개나리가 꽃을 피곤 하지만 어느 시인이 말한 것처럼 밤새 하느님이 꽃망울에 입김을 불어 넣기 때문이라는 이유가 더 타당할지도 모른다. 이렇듯 우리는 봄이 오면 찬란한 생명을 싹틔우는 개나리에 대해서 잘 알고 있긴 하지만 꽃이 피는 이유에 대한 정확한 해답을 발견하기는 쉽지 않다.

하지만 다행스러운 것은 꽃이 무엇인가에 대해 잘 알고 있는 것처럼 생명과 생명을 가지는 개체(생명체)가 무엇인가에 대한 정의는 과거 어느 때보다도 더 정확하게 이해되고 있다는 것이다. 생명(life)이란 신학자들의 견해에 따르면 하느님께서 선물로 주시는 것으로 생물을 살아 숨을 쉬게 하는 형이상학적 가치일수도 있지만, 과학이 태동한 이래 지난 수세기 동안 과학자들의 수많은 연구와 실험적 증거들에 의해서 생명을 지니는 생명체는 적어도 다음과 같은 4가지 특성을 포함하는 것이어야만 한다. 첫째, 일할 수 있는 능력인 에너지(energy)를 주변으로부터 획득하거나 사용할 수 있어야만 하며 둘째, 비교적 작은 물질을 이용하여 보다 더 복잡한 물질을 생산해 내며 복잡성(complexity)을 갖는다. 셋째, 변화하는 환경에 따라서 순응하여 주변 환경에 잘 적응(adaptation)한다. 마지막으로 생명체가 갖는 최대의 특성은 스스로 자기를 복제(replication)하는 능력으로 자기와 정확히 똑같은 후대(인간의 경우 아들, 딸)를 만들어 내는 것이다. 따라서 생명체는 생명이라는 능력을 지닌 그 무엇이며 생명체와 생명은 불가분의 관계를 갖게 된다. 만일 어떤 개체가 생명이 없을 경우 그것을 무생물이라 하는데 돌(바위)이라든지 흙, 자동차 타이어, 냄비, 유리잔, 동전, 벽돌, 볼펜, 형광등 등등 헤아릴 수 없이 많다. 이것들이 무엇인가 곰곰이 생각해보면 모두가 무생물로 생명체(혹은 생물)의 특성을 만족시키지 못하는 것들이다. 따라서 그러한 생명의 특성을 만족시켜야만 하는 생명체는 매우 독특한 존재인 것이다.

이에 오랜 세월 동안 우리 자신을 포함한 많은 사람들은 왜 생명이 존재하는지 혹은 신에 의해서 창조되었는지 궁금해 해왔다. 특히 우리는 누구이고 우리가 어디에서 와서 어디로 가는지에 대하여 많은 철학자들과 과학자들이 고민을 해왔는데 이러한 물음 중에 알려진 것은 우리가 수많은 독특한 생명체 중의 하나일 뿐이라는 것이다.

한편 "생명의 기원"이란 그럴싸한 계명대학교 교양도서의 책 이름 같지만 사실 매우 어려운 질문이라고 생각된다. 왜냐하면 생명과학이 최고로 꽃피우고 있는 21세기에 이른 지금도 생명의 기원에 대한 정확한 해답이 없는 실정이기 때문이다. 따라서 우리는 이 책을 통하여 그 해답을 조금이나마 알아내기 위한 여러 가지 가설과 증거들을 알아보고자 한다. 예를 들면 생물속생설(biogenesis)로, 이는 1861년 프랑스 과학자인 루이 파스퇴르(Louis Pasteur)가 미생물에 대한 연구를 통하여 자연발생설을 부정하면서 다음과 같은 현상, 즉 우유가 시어지는 것, 포도주스의 알콜 발효, 그리고 고기 등의 부패현상이 이미 그러한 물체(고기, 우유, 포도 주스 등)에 이미 존재해 있던 미생물의 활동에 의해 야기되는 것임을 소위 "백조 목의 플라스크" 실험을 통해 과학적으로 입증하면서 사람들에게 이해되기 시작한 이론이다. 그렇지만 그 당시 파스퇴르의 생물속생설을 이해한 사람들은 또 다른 문제에 봉착하게 되었다. 즉 생명체가 하느님께서 만드신 것이거나(기독교의 창조론, creationism) 혹은 자연히 생겨 난 것(아리스토텔레스의 자연발생설, abiogenesis)이 아니라면, 어떻게 인간을 포함한 수많은 생명체가 지금 이 지구상에 존재하고 있는가하는 생명의 기원에 대한 문제였다. 하지만 이에 대한 해답은 20세기 중반부터 시작된 분자생물학의 발달과 천문학의 발전을 통해 생명의 현상이 분자수준에서 물질적으로 이해되고, 생명의 기원이 우주의 진화와 매우 밀접하게 관련되어 있음을 밝혀낸 다음에야(현재) 비로소 얻어졌다고 볼 수 있다.

이에 우리는 지난 100년간 몇몇 책에서 주장되어온 생명의 기원에 대한 설명으로써 무엇이 과학적으로 제시되는가를 일차적으로 요약함으로써 이 문제를 살펴나가고자 한다. 이를 위하여 우리는 제 1장에서 제 4장을 통하여 생명의 기원에 있어서 우리가 꼭 알아야할 기초적인 내용과 이론을 설명하고 있다(미생물학과 권오식 교수 집필). 또한 제 5장에서 제 7장은 생명의 기원에 있어서 최근에 밝혀진 여러 가지 문제점을 다룸으로써(생물학과 유민 교수 집필), 생명의 기원에 대해 과학적으로 접근하려는 자연과학계통의 학생뿐만 아니라 생명에 대한 문제를 철학적 혹은 윤리적으로 접근하려는 인문·사회과학을 전공하려는 학생들에게도 흥미를 가질 수 있게끔 구성되어 있다. 한편 이 졸작을 통하여 우리 대학교의 교양세미나 강의를 듣는 신입생들과 이들을 가르치시는 교수님들께도 작은 도움이 되었으면 하는 바램이 있다.

백은관에서

권오식 · 유민

목 차

제1장
원시지구와 생명의 출현

1. 지구의 탄생

아주 먼 옛날에 별의 폭발로 생긴 가스, 얼음 알갱이, 티끌 등이 모여 이루어진 거대한 구름 즉 성운 중의 하나가 서서히 회전하면서 수축하여 태양계를 이룰 수 있는 성운을 태동하였다. 이 성운이 자체 중력으로 수축하면서 회전속도가 빨라짐에 따라 원반모양을 형성하게 되었고, 원반의 중심부에 원시태양(전체 태양계 질량의 99%)이 생겼으며 성운의 나머지 부분은 그 주위에 원반 모양으로 모여 수많은 미행성(전체 태양계 질량의 1%)을 만들었다. 이 때 원시 태양에서 가까운 내행성계(수성, 금성, 지구를 지칭함)에는 암석과 금속으로 된 고온의 미행성체가 그리고 먼 쪽은 물이나 휘발성의 원소로 이루어진 차가운 미행성체들이 만들어 졌다. 이 미행성들은 서로 충돌을 거듭하면서 성장하여 원시행성들로 되었는데, 작은 미행성들이 합쳐져 하나의 행성을 만드는데 수 억년의 시간이 소요되었다. 이들 중 태양으로부터 세 번째 원시행성이 바로 생명이 출현하게 될 지구(Earth)가 되었다(그림 1-1). 한편 태양으로부터 멀리 떨어져 있어 비교적 온도가 낮은 원반의 외곽지역에서는 목성(Jupiter)이나 토성(Saturn)같은 비교적 크기가 큰 기체 행성들이 만들어졌는데 이들 역시 내부에는 고체 핵이 자리 잡고 있다. 이러한 태양계 형성에 관한 성운설을 제창한 사람이 18세기의 유명한 철학자인 임마뉴엘 칸트(Immanuel Kant, 1724~804)와 수학자인 피에르 시몽 드 라플라스(Pierre-Simon de Laplace, 1749~1827)라니 21세기를 살아가는 우리들은 그저 그들의 선견 능력에 감탄할 뿐이다.

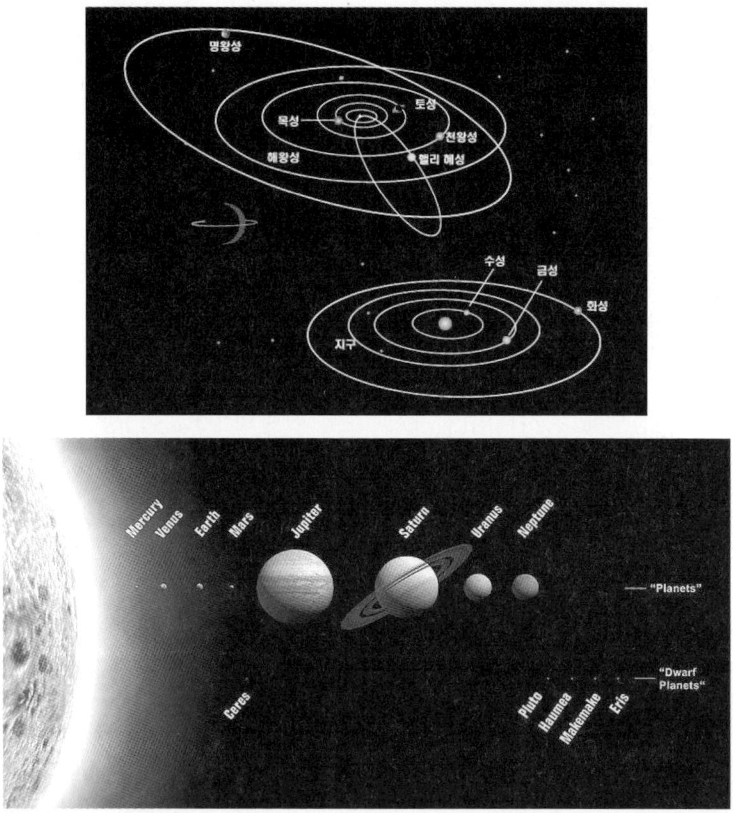

그림 1-1 태양계의 구조(A)와 태양계의 행성(planets)들의 실제 크기 비교(B). 왼쪽부터 태양(노란색), 수성, 금성, 지구, 화성, 목성, 토성, 천왕성 및 해왕성. 그리고 명왕성(Pluto)은 2006년 국제천문학회의 결정으로 태양계 행성에서 퇴출되어 왜소행성(dwarf planets)으로 분류되었다.

2. 지구의 원시대기와 바다의 생성

45억 6,000만 년 전 지구가 처음 만들어졌을 때에는 지구의 구조는 균질 상태였지만 이후 미행성들과 계속적으로 100만년 이상 충돌하였다 한다.

결과적으로 발생하는 엄청난 에너지가 열로 바뀌면서 원시지구의 표면은 마그마(magma)로 된 액체 상태가 되었으며 마그마의 바다는 지구 표면으로부터 수백 km의 깊이로 지구를 덮고 있게 된다. 이 마그마 바다 중에서 철(Fe), 니켈(Ni) 등의 무거운 금속은 지구 중심으로 가라앉고 전체 지각의 57.3%를 차지하는 가벼운 규산염(SiO_2) 성분은 지표면으로 떠올라 서서히 굳어 수십억 년 후에 판게아(Pangaea) 초대륙을 형성하게 되는 원시지각을 만들었다.

한편 지구를 둘러싼 기체는 대부분 수소와 헬륨이었기 때문에 태양이 빛을 내면서 강력한 태양풍에 날려 없어졌다. 그 후 지금도 계속되는 화산활동으로 말미암아 지구 내부에서 분출된 기체들이 지구 중력에 붙잡혀 원시대기를 형성하였는데, 원시대기의 주요한 성분은 수증기(H_2O), 이산화탄소(CO_2), 수소(H_2), 소량의 메탄(CH_4) 그리고 암모니아(NH_3) 등이었다.

원시지구가 형성된 시점에서 약 1억년 후(약 44억 6,000만 년 전) 원시바다가 생겼는데 그 때에는 지금처럼 많은 물이 존재하지 않았다고 한다. 원시바다의 형성에 관한 두 가지 중요한 설명은 (1) 미행성들이 지속적으로 충돌하여 이들이 갖고 있던 얼음덩어리가 수증기로 되어 구름을 만들고 지구가 식어감에 따라서 비가 되어 내렸다는 설과 (2) 달이 지구의 위성으로 존재하게 된 이유인 '자이언트 임팩트(Giant Impact)' 이후에 주로 혜성이 지구로 물을 운반해 원시바다를 형성했다는 것이다. 어쨌든 현재 지구에는 엄청난 양의 물(1.37×10^{21} ton)이 존재하며 태양계의 많은 행성 중에서 유일하게 액체 상태의 물이 행성 표면에 존재하고 있다. 이런 이유에서 지구를 '물의 행성'이라고 부르며 사실 우주에서 지구의 모습을 보면 파란색의 아름다운 행성으로 보여진다(그림 1-2).

현재 모든 과학자들은 이 물이 생명 탄생에 있어서 가장 중요한 요소임을 부인할 수 없는 사실로 받아들이고 있다. 생명현상에 관여하는 물의 특수한 성질들을 제외하고라도 지구상의 모든 생물들은 크거나 작거나 그들의 몸무게(생체 중량)의 약 70~80%가 물로 이루어져 있다. 왜 이렇게 생명체 안에는 물이 많아야만 하는가하면 생명현상에 있어서 그만큼 물이 중요하기 때문인 것이다. 특히 다른 행성에서는 고체로 존재하는 물이 지구에서는 얼음 상태인 고체가 아니라 액체 상태로 존재할 수 있기 때문에 행성 지구는 200만 종이 넘는 수많은 생물들의 보금자리가 될 수 있었다.

지구에 바다가 생겨난 이후에 원시지구의 대기에 엄청나게 존재했던(대기조성의 98%) 이산화탄소는 대기 중의 빗방울에 녹아들어가거나 바닷물에 녹기 시작하여 물속의 칼슘(Ca)과 반응하여 탄산칼슘($CaCO_3$)이 되면서 퇴적하는 과정에서 대기 중의 CO_2가 감소하였다.

이에 따라 온실효과가 줄어들면서 지구는 생명이 탄생할 수 있는 적절한 온도가 만들어지게 되었다. 사실 지구에 이산화탄소로 존재했던 대부분의 탄소의 양은 엄청난데(약 2×10^{16} ton) 그 대부분은 현재 바다 밑바닥에 퇴적암으로 존재해 있다.

그림 1-2 우주에서 본 지구. 달에서 지구로 귀환하던 아폴로(Apollo) 우주선 17호에서 찍음.

3. 원시 환원성 대기의 특징

어떤 종류의 원시대기가 생명의 기본이 되는 유기물질(organic matter)의 형성과 축적에 이바지하였는가를 이해하는 것은 생명의 기원을 이해하는데 있어서 매우 중요하다. 여기에 대해서 모든 과학자들의 의견이 일치하고 있는데 그것은 '환원성 대기'이다. 환원성 대기란 수증기(H_2O), 수소(H_2), 메탄(CH_4), 암모니아(NH_3) 등과 같은 환원성 기체를 포함하고 있는 대기(atmosphere)를 의미한다. 따라서 원시지구의 대기 성분에는 산소(O_2)가 거의 존재하지 않았다. 만일 현재의 지구에서처럼 대기 조성의 23.1%가 산소로 존재한다면, 생물의 전구체에서 유기화합물의 형성은 억제되며 오히려 유기화합물의 분해를 촉진하여 지구상에 물이 존재하더라도 생명의 출현을 방해하였다고 본다. 이러한 사실은 '분자적 진화와 생명의 기원(Molecular Evolution and the Origin of Life, 1977)'의 저자들인 미국의 생화학자 시드니 폭스(Sidney W. Fox, 1912~1998)와 클라우스 도제(Klaus Dose)에 의해 발표된 '환원성 대기 가설'에 대한 가장 강력한 증거로써 채택되었다. 즉, 이들의 가설은 화학적 진화가 생물의 출현을 유도했다는 것인데 이러한 화학적 진화는 산소의 존재 하에서 결코 일어날 수 없었다는 것이다. 따라서 그들의 결론은 원시지구에서는 산소가 존재할 이유가 없다는 것이다.

최근의 연구는 원시대기 중에는 오늘날 화산이 분출될 때 나오는 가스와 같은 혼합물의 기체를 함유했었음을 알려주고 있다. 그렇다면 역시 중요한 문제는 그 당시 "산소가 존재했었나?" 이다. 광합성이 없는 곳에서 산소(O_2)의 출처는 물(H_2O)의 광분해(빛 에너지를 이용하여 물을 수소와 산소로 분해하는 화학반응)로, 초기 지구에는 오존층(ozone shield)이 없었을지 모르기 때문에 태양에서 오는 자외선(UV)이 초기 지구의 산소를 조금이나마 생성하였을 것으로 추측하고 있다. 그러나 그러한 주장은 암석에서 발견되는 환원된 광물이 약 35억 년 전부터 있었던 가장 오래된 퇴적암에서 발견되고 있는 것으로 보아 반박되고 있으며, 그 당시의 대기조건은 산소의 존재에 의한 산화성 대기라기보다는 유기물의 합성이 적절히 일어날 수 있는 환원성 대기였다고는 것을 말해주고 있다.

또한 초기 지구의 대기가 산소가 없는 환원성 대기임을 잘 설명해줄 수 있는 사실은 과거 우리 지구와 유사한 환경을 가졌을 것으로 여겨지는 화성과 금성의 대기 조성을 살펴보면 잘 알 수 있다. 현재 생물이 살지 않는 화성(Mars)과 금성(Venus)에는 **표 1-1**에서 보는 것처럼 산소는 거의 존재하지 않는다. 이는 거꾸로 지구에 지금처럼 풍부한 산소가 존재할 수 있는 이유는 약 35억 년 전에 지구상에 광합성 미생물인 시아노세균(cyanobacteria)이 태양빛이 비추이는 얕은 바다에 출현하여 향후 15억 년간 엄청난 산소를 만들어 냈기 때문이라는 것이 정설이다.

표 1-1. 지구와 유사한 세 행성의 대기조건의 비교

대기조성	화성	금성	원시지구	현재의 지구
이산화탄소	95.3%	96.5%	98.0%	0.046%
질소	2.7%	1.9%	1.9%	69.5%
산소	0.13%	trace	trace	23.1%

그러나 이보다 2억년 앞선 약 37억 년 전 지구상에 최초로 출현한 생명체는 산소가 존재하지 않는 조건에서 살아갈 수 있는 원시적인 혐기성 박테리아이었음이 알려졌는데 놀랍게도 이러한 혐기성 박테리아들은 지금도 지구 바다 속 깊숙히 존재하고 있다. 1977년 미국의 해양 지질학자들은 심해잠수정인 앨빈(Alvin)호를 이용하여 해저 2,500 meter 깊이의 심해(deep sea)를 탐사했는데, 남아메리카 대륙으로부터 1,000 km 떨어져 있는 동태평양에 위치한 갈라파고스 군도 근처에서 '열수 분출공(hydrothermal vent, 그림 1-3A)'이라는 350℃가 넘는 뜨거운 해수가 검은색 연기 모양으로 나오는 기이한 굴뚝같은 해저 구조물을 발견하였다. 이 '열수 분출공'이란 상식적으로 생각할 때 생명체가 절대로 존재할 수 없는 열악한 조건(100℃가 넘으며 250기압 이상으로 전혀 빛이 존재하지 않음)임에도 불구하고, 앨빈호의 탐사대원들은 관벌레, 눈먼 새우, 눈먼 게, 내장이 없는 조개 등 여러 종류의 희귀한 생물들을 발견하였다. 그 중 가장 대표적인 것이 빨간색의 잎사귀 모양을 갖는

2 meter 정도의 길이의 관벌레(giant tube worm, 그림 1-3B)였는데, 이 독특한 해저 생명체는 황화수소(H_2S)를 섭취하면서 살아가는 화학무기영양세균의 집합체로 확인되었다. 이 중대한 발견의 의미는 열수분출공의 환경과 거의 유사하다고 생각되는 수십억 년 전 원시지구의 바다에서도 확실히 원시생명체인 혐기성 세균들이 존재할 수 있었다는 결정적 증거라는 것이다. 더욱이 많은 우주과학자들은 이와 같은 열악한 환경으로 된 지구가 아닌 외계 행성에서도 생명체가 존재하리라고 확신하게 되었다. 그 결과 지구 생명의 출현과정에 있어서 창조론을 신봉하던 자들은 큰 타격을 받았다. 이는 20세기 후반부에서 인간이 아폴로 우주선 11호를 타고 지구의 위성인 달(moon)에 다녀온 것 다음으로 가장 충격적인 과학적 사실이라고 보고 있다.

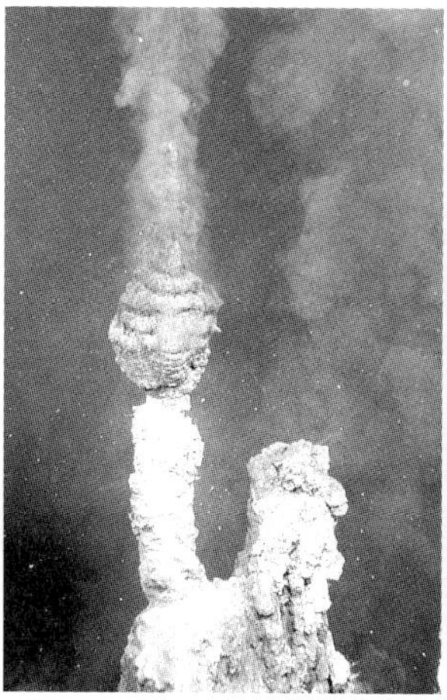

(A)

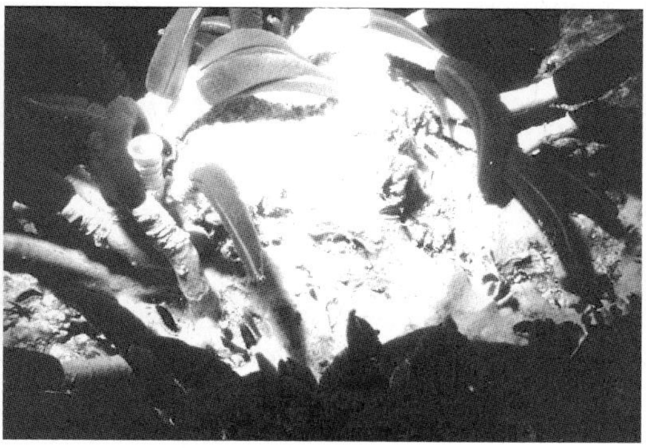

(B)

그림 1-3 Hydrothermal vent라고 부르는 열수 분출공(A)과 이곳에서 최초로 발견된 관벌레(giant tube worm, *Rifitia pachyptila*)는 길이 2 meter와 직경이 겨우 5 cm인 입과 소화기관이 없는 무척추동물이다(B).

이러한 열수 분출공의 발견과 그 주변에 존재하는 생물체에 대한 연구로 말미암아 1988년 독일의 화학자인 군터 바흐터쇼이저(Gunter Wachtershauser, 1938~)는 오파린과 할데인의 '화학적 진화'의 최신판으로 흙과 같은 지구표면에서 유기화합물이 축적되어 생명이 시작되었다고 주장하였다. 이러한 그의 생각은 생명의 기원에 있어서 소위 "Iron-sulfur world theory"라고 불리는데 현재 가장 신빙성있게 받아들여지고 있는 "RNA world 가설(제 3장)"과 더불어 많은 과학자들에게 강력한 지지를 받고 있다. 즉, 대양의 깊은 바다 속 열수 분출공(hydrothermal vent)은 뜨겁고 철분과 유황성분의 광물질이 풍부한 물이 다량으로 존재하며 원시바다와 똑같은 이러한 환경은 생명창조에 필요한 화합물과 촉매를 제공한다고 한다. 이러한 열수 분출공 근처에서 생명체로 보이는 단세포적인 원시생명체가 중합체적 생명필름(biofilm)을 이루며 (+) 전하를 띤 바위(광물)에 붙어 있을 수 있기 때문에 생명체로의 진화가 가능하다고 보는데 이들 생명필름이 바위에서 떨어질 때, 막처럼 보이는 공 모양의 세포와 같은 것을 만든다고 보고 있다. 그의 이론은 열역학적으로 매우 타당성을 갖춘 모델로 여겨지고 있다.

4. 지구상에 산소의 출현과 오존층 형성

우리는 식물(plants)들이 광합성을 시작하여 탄수화물인 포도당과 산소를 만드는 것을 잘 알고 있다. 하지만 이는 지구에 대륙이 생기고 나서 육상식물이 나타난 약 4억 1,900만 년 전의 사건이다. 그렇지만 이보다 훨씬 이전인 약 35억 년 전 원시적으로 광합성을 하는 원핵세포인 미생물이 출현하기 시작하였다. 이 미생물들이 광합성의 결과로 만들어

내는 산소는 초기에는 바다 속의 철(Fe)을 산화시키는데 사용되었다. 우리가 지금 보고 있는 대부분의 붉은 색을 띠는 흙들은 그 당시 바닷물 속의 철분이 산화철(Fe_3O_4)로 산화되어 바닥으로 침전한 후 퇴적되어 있다가 지각활동으로 인하여 바다 바닥의 지형들이 융기되어 지상으로 나타나 보이는 것이다. 바다 속에 존재하던 철분이 전부 산화철이 되어 사라지면서 물속의 산소기체가 대기 중으로 방출되기 시작하였다. 약 22억 년 전 대기 중의 산소의 함량은 0.1%에 불과하였지만 19억 년 전에는 1.5%로 증가하였다.

이러한 지구상의 산소의 출현과 더불어 생물의 진화에 있어 중요한 진전은 대기 중의 오존층 형성이다. 대기 중에 오존층이 형성되면서 태양으로부터 오는 해로운 자외선(UV)이 오존(O_3, ozone)에 의해 흡수되는데 세포가 갖고 있는 유전자인 DNA가 특히 안정화되어 많은 생물들은 보다 더 안전하게 진화를 계속할 수 있게 되기 때문이다. 대기에 포함되어 있는 산소의 양이 2%를 넘어서면서 오존층이 형성되었다고 추정하지만 19억 년 전후로 오존층이 잘 형성되었을 것으로 보고 있다. 이러한 생명의 보호막인 오존층의 존재 하에서 산소가 풍부해진 지구 환경은 궁극적으로 수많은 생명체가 진화하고 번창할 수 만들어 주었다.

이러한 사실은 영국의 생물물리학자인 제임스 러브록(James Lovelock, 1919~)으로 하여금 그의 저서 '가이아의 시대(The Ages of Gaia)'에서 생명체가 우리 지구의 물리화학적 환경을 형성하고 현재의 상태로 유지시키는데 있어서 역할이 매우 지대함을 주장하게 되었다. 그가 주창한 '가이아 가설(Gaia hypothesis)' 에 의하면 지구는 하나의 거대한 유기체로서 생화학적 활동과 물리화학적 성질을 통해 자기를 생명활동이 가능한 범위에서 스스로 유지하고 조절하고 있다는 것이며, 궁극적으로 '가이아'라는 지구의 여신(女神)이 미생물의 활동을 통해서 이런 것을 가능하게 하고 있다고 주장한다.

5. 생물의 전구체의 생성

생명의 기원에 대한 또 다른 접근방법은 원시지구를 닮은 조건을 만들어 실제로 그러한 환경에서 생명체의 중요 요소들이 만들어지는가를 실험해 보는 것이다. 이러한 실험들 중 가장 대표적인 실험은 미국 시카고대학(University of Chicago)의 스탠리 밀러(Stanley L. Miller, 1930~2007)에 의해 1953년에 행해진 소위 '생물 발생 이전의 모의실험'으로써, 그는 간단한 실험기구(그림 1-4)에 원시지구의 환원대기가 가질 수 있는 조건, 예를 들면 메탄(CH_3), 암모니아(NH_3), 수증기(H_2O), 수소(H_2) 등을 첨가하고 열, 전기적 방전(spark discharge), 그리고 자외선(UV) 등을 일정 시간 처리함으로써, 쉽게 생물의 전구체가 되는 구성성분인 몇 개의 당과 핵산에 필요한 5가지 질소염기와 거의 모든 아미노산을 합성할 수 있었다. 이러한 물질들은 원시 바다에 다른 유기화합물과 함께 풍부히 존재하고 있었으며, 더더욱 생명체 혹은 세포에 존재할 수 있는 수 백 종류의 유기화합물이 이미 우주의 항성 공간이나 성운에 풍부하게 존재하고 있음은 잘 알려진 사실이다. 최근 NASA의 적외선 우주망원경 스피처로 얻은 연구 결과(2010년 7월) 행성상 성운에서 성운이 분출해 낸 가스에 탄소 60개로 이루어진 소위 '플러렌'이라는 공 모양의 분자 물질이 존재하고 있음을 발견하였는데, 이는 우주에도 이미 생명을 만들 수 있는 요소들이 존재하고 있으며 우주 공간에서도 거대한 분자가 만들어지고 있음을 알려주는 것이다. 참고로 단순한 탄수화물에 속하는 포도당(glucose)은 6개의 탄소를 뼈대로 하고 있으며 아미노산(amino acid)은 10개 이하의 탄소, 그리고 질소염기(nitrogen base)는 5개 이하의 탄소로 이루어진 생명에 꼭 필요한 분자들이다.

이들의 실험들은 원시지구에서(혹은 그와 유사한 환경을 갖는 행성에서) 생명의 기초가 되는 물질이 이미 존재해 있거나 자연적으로 만들어질 수 있음을 알려줌과 동시에 지구의 조건이 환원성 대기였다는 것을 강력하게 증명함으로써, 생명의 기원에 대한 사람들의 사고방식에 큰 영향을 미쳤다.

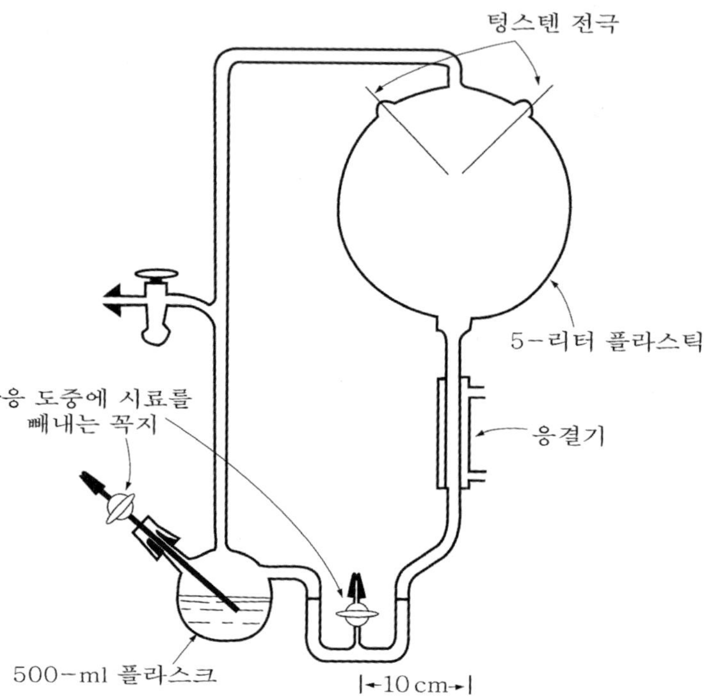

그림 1-4 스탠리 밀러(Stanley Miller)에 의해 1953년에 행해진 '생물 발생 이전의 모의실험'에 사용된 실험기구

6. 세포의 출현

액체인 원시바다에서 최초의 생명체라고 여겨지는 원시세포의 출현은 현재까지도 그 증거가 발견되지 않고 있다. 이미 우리가 공부한 것처럼 생물의 전구체인 탄수화물, 단백질, 핵산과 같은 탄소성 중합체(biopolymer)가 최초의 살아있는 원시세포로 발달해 갔는데 이 사실은 현재로서는 상당히 증명하기 힘든 기적에 가까운 사건이다. '이기적 유전자'와 '눈먼 시계공'으로 잘 알려진 영국의 옥스포드대학교 교수이자 대표적인 진화론자인 리처드 도킨스(Richard Dawkins, 1941~)는 생명의 기원에 있어서 이러한 이미 존재하고 있었던 생명 전구물질에서 단백질이 자연적으로 만들어지기 까지는 10^{20}분의 1의 확률에 가까운 행운이라고 한다. 사실 생명에 필요한 요소들의 집합(예를 들면, 설탕이 병에 들어가 있는 상태나 음식에 맛을 내는 조미료인 MSG로 잘 알려진 아미노산인 글루탐산이 플라스틱 통에 엄청나게 있다고 보면 된다.)은 생명현상을 나타내는 세포와 그 복잡성(complexity)에 있어서 매우 큰 차이를 보여 주고 있기 때문이다.

한편 미국의 생물학자인 허버트 요키(Hubert Yockey, 1916~)는 원시세포가 지구상에 우연히 출현할 확률을 ① 단백질이 20가지의 아미노산으로 구성되며, ② 아미노산에는 2가지 형태(D형과 L형)가 있는데 생물은 오직 L형만 이용하는 점과 ③ 세포에는 최소한 124가지의 단백질이 있어야 하며 ④ 이러한 단백질이 최소한 380개의 아미노산으로 구성된다고 가정할 때, 지구상에 세포가 출현할 확률은 10^{78436}분의 1의 확률이라고 주장한 바가 있다. 이러한 주장은 너무 심하다고 생각되지만 그만큼 지구상에 원시세포가 나타날 확률이 거의 기적에 가깝다는 것을 또다시 알려주는 것이기도 하다.

세포가 나타날 확률이야 어쨌든 간에, 지구상에는 세포가 나타났고 수십억 년 간 진화를 거듭한 결과 이제는 지구를 '생명의 행성(Planet of Life)'이라고도 부르지 않는가? 그렇다면 이러한 기적의 산물이라는 세포가 무엇인가 먼저 알아보자. 세포(細胞, cell)란 모든 생물의 기본단위로써 그 크기가 매우 작아(1 mm의 1/100~1/1,000) 인간의 맨 눈으로는 볼 수 없기 때문에 광학현미경이라는 물체의 크기를 10배에서 1,000배 정도로 확대해서 볼 수 있는 장치로만 그 모습을 확인할 수 있다. 하지만 가장 큰 세포는 타조 알(그림 1-5)이라고 할 수 있는데 무게가 무려 1.5 Kg이며 그 크기는 지름이 15 cm 정도나 한다. 반면 가장 작은 세포라 할 수 있는 세균(bacteria)의 일반적인 크기는 1 um(=1/1,000 mm) 정도인데 가장 큰 세포인 타조의 알과 세균의 크기는 길이로만 150,000배나 차이가 난다. 그렇지만 세포는 구형의 입체이므로 $150,000^3(=3.375 \times 10^{15})$배의 차이가 있다.

그림 1-5 가장 큰 세포인 타조의 알(egg).

이렇듯 세포는 그 종류마다 크기가 다르지만 앞서 이야기했듯이 세포들은 자기 자신의 무게의 약 70~80%가 물로 이루어져 있다. 즉 세포는 외관상으로 관찰하게 되면 물로 가득 찬 조그만 비눗방울처럼 생겼다고 할 수 있다. 제 3장 세포의 출현에서 자세히 설명하게 되겠지만 세포는 직관적으로 '이것이 비눗방울이구나!' 할 만큼 단순하지 않다. 왜냐하면 네덜란드의 상인(商人)인 안톤 레벤후크(Anton Leeuwenheok, 1632~1723, 그림 1-5)가 현미경을 만들어 사람의 눈으로는 볼 수 없었던 단세포 생물(세균, 곰팡이, 원생동물 등)을 최초로 관찰하고 세포의 존재를 확인한 이래 300여년이 지난 지금까지도 세포의 모든 것에 대하여 알지 못하고 있을 만큼 세포는 작지만 복잡한 생명체이기 때문이다.

(A)

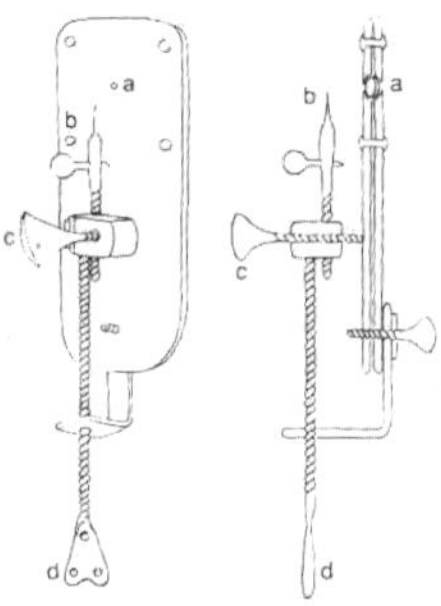

(B)

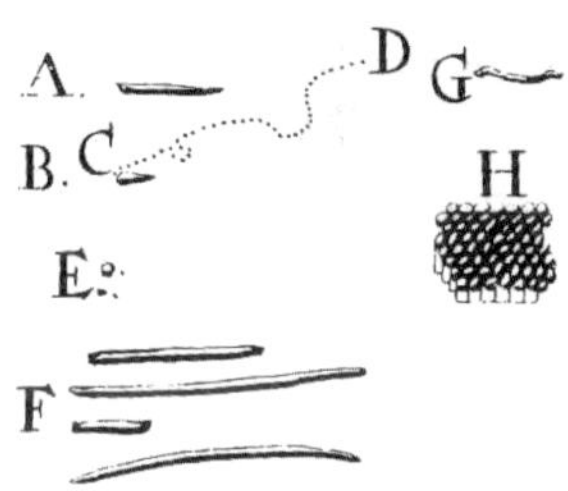

(C)

그림 1-6 안톤 레벤후크(Anton Leeuwenheok)의 현미경(200배 정도의 배율)과 그가 본 여러 가지 세포들의 모습. 그러나 최초의 현미경은 17세기 영국의 과학협회 회원인 로버트 훅(Robert Hook, 1635~1703)이 배율 30배 정도인 현미경을 발명하였다. (A) 안톤 레벤후크; (B) 현미경; (C) 세포들

아무리 지구상에 세포가 자연적으로 출현하는 것이 기적과 같다고 말하지만 20세기 후반부터 생물공학이 비약적으로 발전하면서 현재 실험실 혹은 시험관 내(*in vitro*)에서 과학자들이 "새로운 생명체를 만들어 내는 것"은 21세기를 살아가는 인간에게는 더 이상 기적과 같은 사건이 아니다. 2002년 8월 미생물 유전학자인 Eckard Wimmer 박사(미국 뉴욕주립대학교 교수)는 그의 동료들과 함께 가장 작은 생명체인 소아마비 바이러스(poliovirus)를 화학적으로 실험실에서 창조해내는 쾌거를 이룩하여 미국 언론에 대서특필되었는데, 이 소아마비 바이러스의 이름은 화학식으로 "$C_{332,652}H_{492,388}N_{98,245}O_{131,196}P_{7,501}S_{2,340}$"이다. 이 이름의 의미는 그가 이 바이러스를 탄소원자(**C**arbon) 332,652개, 수소원자(**H**ydrogen) 492,388개, 질소원자(**N**itrogen) 98,245개, 산소원자(**O**xygen) 131,196개, 인원자(**P**hosphorus) 7,501개와 황원자(**S**ulfur) 2,340개로 만들었음을 의미한다. 창조론자들한테는 억울한 이야기이지만 멀지않은 미래에 에카르트 위머 박사는 바이러스들에게 하느님이라고 칭송받을지도 모른다. 하지만 염려스러운 것은 이러한 인류의 역사상 유래가 없는 그의 업적이 어쩌면 인류의 미래에 커다란 재앙으로 다가올지도 모른다는 점이다. 이의 근거가 되는 것은 20세기 초(정확히 1905년) 알베르트 아인슈타인(Albert Einstein, 1879~1955)의 생각해낸 $E = mc^2$이라는 간단한 특수 상대성 원리로부터 원자폭탄이 만들어졌던 역사적 사실을 기억할 때 과학자의 의지와 관계없이 과학의 발전으로 얻는 가공할만한 위험과 혜택이 공존하기 때문이다.

결론적으로 어떻게 세포가 지구상에 출현하게 되었는가는 아직도 확실한 증거가 없기 때문에 양측(진화론자와 창조론자) 모두에게 매우 곤혹스러운 사실일 뿐이다. 과학자들이 물고기(어류)가 지구상에 2억 년 전에 출현하였다고 주장할 수 있는 것은 물고기의 화석이 2억 년 된 지구의 지층인 퇴적암층 속에서 발견하기 때문이다(그림 1-6). 물론 물고기의 조상이라고 할 수 있는 턱이 없고 지느러미도 없는 뱀장어 같은 무악어류(*Agnatha*)는 고생대 오르도비스기(4억 5,000만 년 전) 지층에서도 화석으로 발견된다. 이러한 논란에 대하여 비교적 설득력을 지닌 과학적 증거를 제시하며 지구상에 원시생명체로서의 세포가 출현할 수 있게 된 이유에 대해 가장 쉽게 납득시킬 수 있는 설명은 러시아의 생화학자인 알렉산더 이바노비치 오파린(Alexander I. Oparin, 1894~1980)이 1924년 출판한 '생명의 기원' 이라는 책에서 주창한 '코아세르베이트(coacervate)설' 이었다. 이에 대해선 제 4장 세포의 출현에서 자세히 알아보기로 하자.

그림 1-7 1억 5,000만 년 된 물고기 리콥테라(*Lycoptera*)의 화석. 지금까지 알려진 가장 오래된 뼈대화석이며 현존하는 진골 어류의 조상으로 지질 연대로 백악기 중기에 살았음.

7. 다세포 생물의 발달

최초의 세포들은 명백히 남조류라고 불리는 시아노세균과 같은 원핵세포이었음에 틀림이 없다. 발견되는 가장 오래된 화석유물을 조사해 보면 이 시아노세균은 광합성을 할 수 있는 원핵세포로 지금부터 적어도 35억 년 전에 출현했음을 보여주고 있다. 따라서 다세포 생물은 일단 이 최초의 세포가 출현한 다음에 그리고 긴 시간이 흐르면서, 자연도태와 돌연변이에 의해 발달했다고 본다. 이러한 논리의 증거는 다행스럽게도 최근에 '그리파니아(*Grypania*)'라고 부르는 가는다란 고리 모양을 하는 조그만 화석이 27억 년 된 암석에서 화석유물로 발견됨으로써 신빙성을 얻게 되었고 따라서 지구상에는 다세포로 이루어진 최초의 진핵 생물은 약 27억 년 전에 출현하였다고 결론짓고 있다. 이는 찰스 다윈(Charles Darwin, 1809~1882)이 1859년 출판한 그의 책 '종의 기원(The Origin of Species by Means of Natural Selection)'에서 주창한 "생물은 조금씩 다양화하며 진화한다."는 진화론과 매우 잘 일치하는 것이다.

이러한 원시적 생물에 대해서 현대의 많은 생물학 교과서들은 최초의 세포들은 산소가 존재하지 않는 환경에서 성장 및 증식하기 위하여, 원시바다에 풍부히 존재하는 '원시수프(primodial soup)'의 내용물들을 이용하는 타가영양균(heterotroph)이었다고 서술하고 있다. 그리고 필요한 먹이와 에너지를 대기 중의 이산화탄소(CO_2)나 깊은 바닷물에 풍부히 존재하는 황화수소(H_2S)를 이용하는 자가영양균(autotroph)인 원핵세포(화학 합성 세균 및 시아노세균)는 후에 나타났고, 광합성 미생물들에 의해 방출되는 산소는 호기성 생물의 진화를 이끌었다고 결론을 짓는다. 이러한 생명의 기원에 대한 설명은 우리가 현존하는 생물과 원시 생물(=선캄브리아기 시대인 5억 4,200만 년 이전에 존재했던 생물)에 대한 매우 한정된 화석유물 증거로 본다면 이러한 주장은 매우 타당성이 있어 보인다.

결론적으로 지구상에 생물이 나타나기 시작한 순서는 (1) 37억 년 전 최초로 나타난 혐기성 세균이며 (2) 35억 년 전 광합성 세균인 시아노세균의 등장하여 이들은 15억 년 이상 번식하면서 산소를 방출하여 지금의 대기 중 산소를 만들었다. (3) 이어서 산소가 존재하는 조건에서도 생존할 수 있는 호기성 세균의 생겼으며, (4) 핵을 가진 진핵생물이 깊은 바다에서 혐기성 세포로서 나타나고, (5) 이러한 호기성 세균이 핵만을 지닌 원시세포에 들어가 내부공생하면서 미토콘드리아를 갖는 진핵세포를 형성하였다. (6) 마지막으로 시아노세균으로부터 유래한 엽록체와 미토콘드리아를 가지게 된 식물세포가 지구상에 출현하였다는 것이 지금까지 잘 알려진 정설이다. 이에 대한 자세한 내용은 제 4장 세포의 출현 중 '내부공생 가설'에서 논하게 될 것이다.

제2장
원자 및 분자 수준에서 본 생명

생명체를 구성하는 기본 물질이 탄소로 이루어진 유기화합물이라는 사실에 대해서는 진화론을 주장하는 사람들(주로 과학자)과 창조론을 신봉하는 사람들(주로 신학자들) 그리고 모든 사람들이 아무런 이의를 제기하지 않는다. 이와 같이 생명체에 필요한 물질의 구성단위가 되는 화합물을 생체분자(biomolecules)라고 부르는데, 이는 생물의 기본 단위인 세포가 정상적으로 생명성을 유지하기 위하여 꼭 필요한 물리·화학적 성질을 갖는 물질이다. 즉 이와 같은 화합물은 모든 생물에 존재하고 있는 공통적인 물질이다. 그런데 여태까지 연구된 바로는 이러한 생체분자는 필연적으로 공통되는 생체원소로 이루어지며, 서로 반응을 하며, 그 크기, 모양, 화학반응성이 세포의 구성단위를 이루기 위해서 필요할 뿐만 아니라 세포 자신이 참여하는 생체에너지와 물질변환에 꼭 필요한 것이다. 따라서 생체원소와 이들이 중합되어 만들어진 생체분자는 생명현상의 가장 기본이 되는 물질로 볼 수 있으며, 이들이 단지 원자와 분자로 구성되어 있는 존재일 뿐이기에 우리는 이 장에서 이러한 생체원소 및 생체분자가 무엇인지 그의 특성을 살펴보면서 왜 이것들이 생명현상을 나타내는지에 대해서 집중적으로 알아보고자 한다.

1. 생명의 화학적 통일성

우리는 지구상의 모든 생물들을 구성하고 있는 세포가 단지 단백질, 핵산, 지질, 탄수화물 그리고 물로 이루어지고 있다는 것을 익히 잘 알고 있다. 특히 이러한 생체분자는 생명을 이루는 원리와 법칙에 따라 서로의 관계를 갖고 있으며, 이들은 **표 2-1**에 볼 수 있듯이 매우 특이하게도 원자번호(=양성자의 수)가 매우 적은 몇 가지의 원소들로만 구성되어있다. 즉, 생명체란 지구상에 많이 존재하는 몇몇의 원자들의 집합으로 볼 수 있으며, 생명체를 구성하는 원소들은 원자번호 1번인 수소(Hydrogen), 원자번호 6번인 탄소(Carbon), 원자번호 7번인 질소(Nitrigen), 원자번호 8번인 산소(Oxygen) 등을 포함해 비교적 작은 원자번호를 갖는 것이 특징이다. 따라서 이들 원자의 크기는 지구상에 자연적으로 존재하는 92개의 원소들 중에서 가장 작은 측에 든다. 즉 원소는 원자번호가 클수록 그 크기가 큰데 원자폭탄의 재료가 되는 원자번호가 92번인 방사성 원소인 우라늄(Uranium)은 원자핵에 양성자 92개와 이보다 훨씬 더 많은 수의 중성자를 가지며 불안정하다. 이보다 더 큰 원소(초우라늄 원소, 혹은 방사성 원소)는 모두 인공적으로 만들어진 인공 원소로 원자력 발전에 있어서 사용이 끝난 폐기물에 존재하는 플루토늄(Plutonium, 원자번호 94번)이 대표적이다.

표 2-1. 생명체에서 발견되는 주요한 원소들

유기물을 구성하는 원소	무기물의 원소	미량원소
탄소	나트륨	철
수소	칼륨	구리
질소	마그네슘	망간
인	칼슘	코발트
황	염소	요오드 외 10 種

한편 생체에 가장 많이 존재하는 원소들은 수소, 산소, 탄소, 질소로 이들의 합계는 모든 세포 중량의 99% 이상을 차지함으로써(표 2-2), 생명은 이들 원자로부터 출발한다고 하더라도 과언이 아니다. 특히 세포의 중량의 70%(박테리아)에서 95%(식물)를 차지하는 물(H_2O)을 제외한 세포의 고체중량을 보면, 탄소가 50-60%, 산소가 25-30%, 질소가 8-10%, 수소가 3-4%로 구성되어 있다. 이러한 데이터로부터 우리는 다음과 같은 중요한 결론에 도달할 수 있게 된다. 즉, 생물체를 이루는 주요한 생체원자는 탄소, 수소, 산소 및 질소로 이들이 생체분자를 이루어 세포를 만들며 생명현상을 나타내고 있다는 것이다. 이들은 생명현상을 보이는데 있어서 각자 특이적인 역할을 수행하고 있음을 알 수 있으며, 생명의 창조 혹은 진화과정에 있어서 선택되어진 것으로 보고 있다.

표 2-2. 인체를 구성하는 원자의 종류와 구성 비율

수소	63%	산소	25.5%	탄소	9.5%
질소	1.4%	칼슘	0.31%	인	0.22%
염소	0.03%	칼륨	0.06%	황	0.05%
나트륨	0.03%	마그네슘	0.01%	기타	0.01%

2. 생명 창조에 있어서 탄소의 역할

생물체에 있어서 생체의 건조중량의 반 이상이 탄소(carbon, 원소 기호 C)로 이루어져 있다는 사실은 탄소가 다른 원자들에 비해 생명을 창조하는데 있어 매우 중요한 역할을 하고 있음을 시사한다. 왜 많은 원소 중에서 유독 탄소가 가장 많이 존재하며 사용되었을까? 결론부터 이야기하자면, 탄소는 생명현상을 나타내는데 가장 중요하기 때문이며, 따라서 많이 사용되었다고 볼 수 있다. 즉, 탄소는 생명현상에 필요로 하는 가장 많은 특성을 어떠한 다른 원소들보다 많이 갖고 있으며, 이를 위해 대단히 적합했기 때문인 것이다. 그렇다면 우리는 여기서 생명의 기본이 되는 원소인 탄소와 탄소화합물에 대한 4가지의 기본적인 특성을 알아볼 필요가 있다.

1) 탄소의 공유결합

탄소는 생물체를 이루는 수많은 분자의 골격이 되는데 이는 탄소가 수소, 산소, 질소처럼 공유결합(covalent bond), 즉 전자쌍(electron pair)을 공유하는 결합을 다른 원자와 할 수 있기 때문이다(그림 2-1A). 특히 탄소는 4개의 공유결합을 할 수 있기 때문에 4개의 다른 원자를 필요로 한다. 예를 들면 탄소는 수소원자 4개와 전자 4개로써 공유결합(=4개의 손)을 하여 가장 간단한 유기화합물인 메탄(CH_4)을 만든다. 이는 탄소가 갖고 있는 4개의 손이 다른 원자(이 경우 수소원자)가 갖고 있는 손과 서로 잡고 있는 것이라 볼 수 있다. 이들 공유된 전자쌍은 각각 단일결합(single bond)을 만들며 가지(그림 2-1A)를 형성한다. 탄소는 또한 산소원자나 질소원자와도 단일결합을 형성할 수 있다. 그러나 생물에 있어서 가장 중요한 것은 탄소와 탄소끼리 전자쌍을 공유하여 매우 안정된 탄소-탄소 단일결합을 할 수 있다는 것이다. 각 탄소원자는 1개에서 4개의 다른 탄소와 단일결합을 할 수 있으며, 혹은 2개의 탄소원자가 서로 2개의 전자쌍을 공유하여 탄소-탄소의 이중결합(double bond)을 이룰 수 있다. 예를 들면 타기 쉽고 물에 녹지 않는 기체로 익지 않은 바나나를 숙성시키는 식물의 호르몬 역할을 하는 2

개의 탄소를 갖는 에틸렌의 분자식(molecular formula)은 $H_2C{=}CH_2$ 인데, 탄소와 탄소 사이의 2개의 가지를 의미하는 =는 이중결합을 의미한다. 한편 삼중결합을 하는 경우도 있는데 대표적인 분자는 탄소와 탄소 사이에 3개의 가지를 갖는 H−C ≡ C−H로 표시되는 아세틸렌으로 이 화합물은 금속 용접할 때 많이 쓰인다. 여기서 보는 것처럼 탄소 원자는 반드시 다른 원자와 결합할 때 4개의 결합(혹은 가지, 막대기로 표시됨, 그림 2-1B)을 할 수 있으며 안정된 상태를 유지할 수 있다. 한편 원시대기에 많이 존재하였으며 지금 지구온난화의 주요한 주범으로 알려진 대기 중의 기체인 이산화탄소(CO_2)의 화학구조식은 O = C = O로 표시될 수 있다.

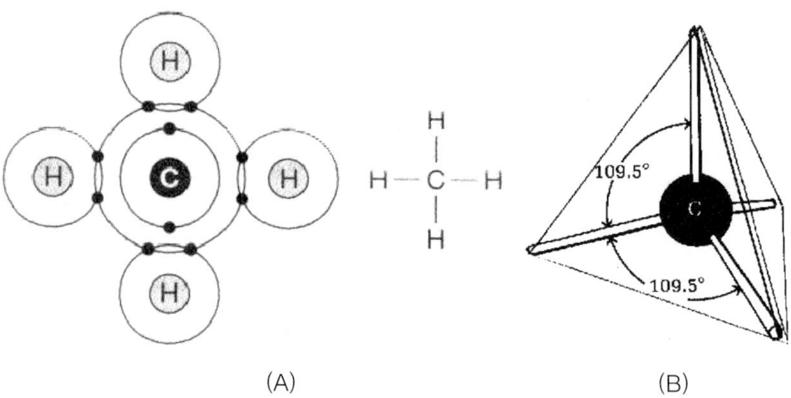

그림 2-1 탄소원자의 '4개의 손'(A)과 탄소원자를 중심으로 한 4개의 결합을 보여주는 공간적 배치(B). 탄소는 원자의 2번째 궤도에 4개의 전자와 4개의 '빈 자리'를 가지고 있다. 탄소는 이 4개의 빈 자리를 다른 원자의 전자로 채우려 하기 때문에 '4개'의 손으로 작용하게 된다.

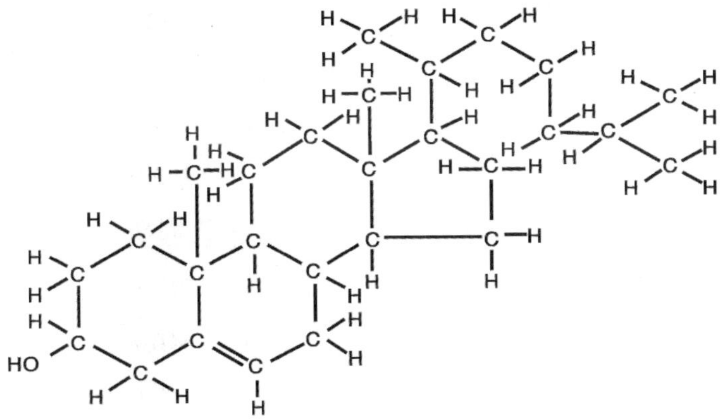

그림 2-2 27개의 탄소를 갖는 지질인 콜레스테롤(cholesterol)의 화학구조식에 나타나는 여러 가지 탄소사슬의 구조. 가지모양, 고리모양, 상자모양 등 다양한 탄소결합 형태가 보인다.

이러한 기본적인 성질 때문에 탄소원자는 여러 원자들과 공유결합을 하면서 서로 연결되어 다양한 유기물의 구조를 만들 수 있다. 예를 들면 인간에게 뇌출혈과 관상동맥경색 등을 일으키는 동맥경화증의 원인되는 콜레스테롤(cholesterol)의 화학구조식(그림 2-2)에서 보는바 같이, 곧은 사슬모양, 가지 사슬모양, 고리모양, 상자모양이 조합된 것 등이 존재하는데, 탄소는 이와 같이 여러 가지의 복잡한 유기분자를 만들 수 있다.

이와 같이 탄소는 산소, 수소, 질소, 유황, 인과 결합해 다른 종류의 분자를 만드는데, 이처럼 공유결합을 한 탄소골격을 갖는 분자를 유기화합물(organic compound)이라고 하며 이들이 만들 수 있는 경우의 수는 거의 무한(無限)에 가깝다. 즉 그림 2-1B에서 보는 탄소결합의 다면성과 거의 무한에 가까운 화합물을 만들 수 있는 탄소의 특성은 왜 탄소라는 원소가 생명의 기원이나 진화과정에 있어서 선택되었나를 설명해 줄 수 있는 주요한 이유라고 보고 있다. 한편 우주물리학자들은 탄소원자만이 4개의 가지 혹은 손을 갖고 있는 것이 아니라 규소(Si), 게르마늄(Ge), 주석(Sn), 납(Pb) 등도 주기율표에서 보면 같은 계열에 존재하는 원소들로 역시 4개의 가지를 이룰 수 있기 때문에, 만일 우리가 인식하고 있는 거대한 우주에서 지구 외에도 생명이 존재한다면 이들 원소들(특히 규소)로 이루어진 생명체가 있을 것이라는데 동의하고 있다.

2) 유기화합물의 형태와 구조

탄소원자처럼 4개의 단일결합(공유결합임)을 할 경우, 그 구성된 유기분자는 그림 2-1B에서 보는 것처럼 쉽게 정사면체를 만들 수 있기 때문에 다양한 3차원적 구조가 형성된다. 그러나 다른 원소에 있어서는 이같이 여러 가지 크기나 모양의 분자를 형성할 수 없다. 따라서 이러한 탄소의 원자 수준에서의 구조적 특성은 세포 내부 구조물의 복잡성을 부여할 수 있으며, 대부분 탄소원자로 만들어지는 유기화합물에서 나타나는 여러 가지 크기와 모양은 이러한 성질 때문에 나타나는 것으로 해석된다. 또한 탄소로 이루어진 유기화합물은 탄소와 탄소 사이의 단일결합이 자유롭기 때문에 입체구조(conformation)라고 불리는 다수의 형태를 취할 수 있으며, 탄소-탄소의 결합이 일정한 거리를 유지하는 관계로 분자의 특유의 크기와 3차원적 구조로 인해, 그림 2-3에서 볼 수 있는 생체에너지 대사에 있어서 중요한 생체분자로 알려진 단백질 촉매인 효소(enzyme)라는 필수불가결한 생물학적 기능을 갖게 된다. 즉 탄소로 이루어진 유기화합물인 생체분자의 3차원적 형태는 효소의 경우 촉매부위와 기질 사이에 적합한 반응이 일어날 수 있도록 기회를 제공하게 되는 것이다. 효소에 있어서 촉매부위와 기질 사이에 화학반응이 일어나게 하려면 두 가지가 상보적으로 빈틈없이 결합되어야 가능한데 이로서 생명의 기능이 출발한다고 볼 수 있다. 이러한 탄소유기분자의 구조적 특성은 생명현상의 하나인 호르몬(hormone) 분자와 세포표면에 존재하는 특수한 구조의 수용체(receptor)와의 결합, DNA 복제 그리고 수많은 생명현상에 필수적인 것이다.

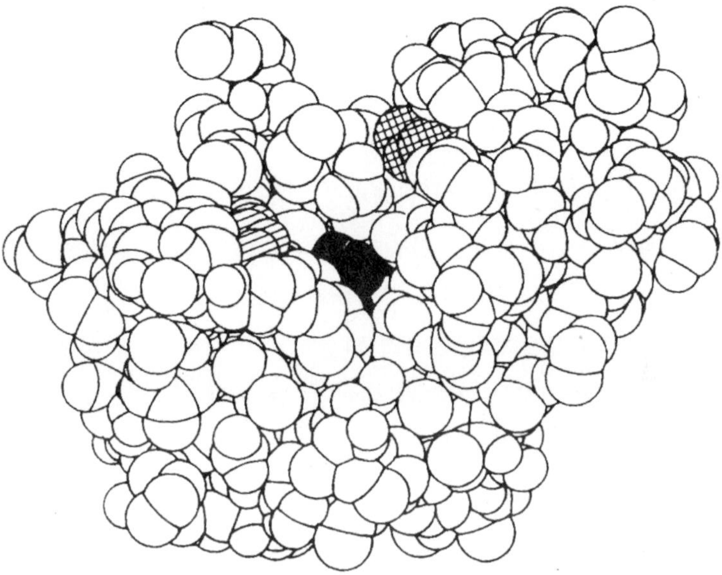

그림 2-3 생체분자인 효소(enzyme)의 3차원적 형태. 생체에너지인 ATP를 만들어내는 포도당 대사에 관여하는 헥소키나제(Hexokinase)임.

3) 관능기의 존재

대부분 모든 유기생체분자는 탄화수소 화합물(hydrocarbon molecules)의 유도체라 할 수 있다. 이러한 탄소 원자를 뼈대(backbone)로 하고 있는 탄화수소 화합물의 경우, 한 개 이상의 수소가 다른 종류의 관능기(작용기라고도 부름)로 치환되면 다른 성질을 갖는 유기화합물이 되며, 생명현상에 있어서 중요한 역할을 수행할 수 있게 된다. 관능기(functional group)의 예로는 알콜(alcohol)기, 아민(amine)의 아미노(amino)기, 케톤(ketone)의 카르보닐(carbonyl)기 그리고 산(acid)의 카르복실(carboxyl)기 및 여러 가지가 있는데, 막걸리나 포도주가 술(알콜)인 이유는 이들에 알콜성 유기화합물인 에탄올(C_2H_5OH)이 있기 때문이며 식초(CH_3COOH, acetic acid)가 신 맛을 내는 성질은 식초에 관능기인 -COOH가 존재하기 때문이다. 즉 관능기는 그것을 포함하는 화합물의 성질을 결정하는 작은 분자(혹은 원자단)이며 이들 관능기는 인접원자의 전자분포나 모양을 바꾸어 화학반응의 전체에 영향을 미친다. 따라서 유기생체분자에 존재하는 관능기로부터 그의 화학적 거동이나 반응을 해석하거나 예측할 수 있다. 한편 세포에 수없이 존재하는 단백질 촉매인 효소는 생체분자의 특이적 관능기를 인식하여 이 구조의 특유한 화학변화를 촉매하는 기능과 역할을 담당한다. 예를 들면 포도당($C_6H_{12}O_6$)의 6번 탄소 위치에 인산기가 붙게 되면 포도당-6-인산이라는 고에너지 화합물로 변화되는데, 헥소키나제(그림 2-3)라는 효소가 포도당 분자의 정확한 위치를 식별하여 포도당이 갖고 있는 6개의 탄소 중에 오직 6번 탄소에게만 인산기를 결합시킨다. 우리는 이를 효소의 특이성(specificity)라고 한다. 즉 생명원자인 탄소는 다른 성질을 갖는 탄소화합물이 되어 또 다른 성질을 부여하는 탄소화합물(혹은 유기화합물)을 만들어 내게 되는 것이고 우리는 이를 생명현상의 시작이라고 할 수 있다.

4) 유기화합물의 비대칭성

관능기를 갖는 대부분의 유기화합물인 생체분자는 마치 오른손의 장갑을 왼손에 낄 수 없고 왼손의 장갑을 오른손에 낄 수 없듯이 비대칭성(asymmetry)을 갖게 된다. 이는 각자가 다른 3차원적 공간적 배치를 갖기 때문이며 이를 거울상 이성질체(enantiomer)라고 부른다. 따라서 탄소원자를 갖는 유기분자는 비록 작을지라도 방향성을 갖는데 이는 세포 내에서 중요한 역할을 하게 된다. 왜냐하면 생체분자는 세포 내 따로 고립되어 존재하지 않고 다른 분자와 반응하기 때문이다. 즉 생체 내의 대부분 반응은 특별한 촉매들(효소임)에 의해서 가속화되는데 분자가 이런 식으로 빠르게 반응하기 위해서는 효소인 촉매의 표면에 정확히 맞아야하며, 따라서 촉매는 방향성을 갖게 된다. 이는 오른손의 장갑을 왼손에 정확히 낄 수 없고 왼손의 장갑을 오른손에 정확히 낄 수 없는 것과 같은 이치이기 때문인 것이다. 만일 그렇지 않다면 도시 중심에 있는 사거리의 고장난 신호등에 서서 대기 중인 차들이 어디로 가야할지 혼란스러워 하게 됨과 같다. 결국 이러한 탄소원자와 이로부터 유래하는 탄소유기화합물들은 이들이 갖게 되는 이러한 특성(특이성, 방향성, 비대칭성)들 때문에 질서가 생기게 되고, 아주 복잡한 세포 내 생화학 현상일지라도 탄소화합물이 갖는 특성들은 세포에게 독특하고 질서정연한 생명을 가져다주게 되는 것이라 볼 수 있다. 이러한 것들이 모든 생물들에게 존재하는 생명현상의 가장 깊숙한 원자 수준에서의 이해일 것이다.

3. 거대분자: 생명의 기초 구성요소

하지만 우리는 이러한 모든 물질의 기본이 되는 원자가 생명을 갖는

다고 볼 수는 없다. 왜냐하면 생물은 복잡한 세포로 구성되어 있으며 또한 세포는 셀 수 없을 만큼 많은 그 무엇인가로 구성되고 있으며, 그 각각은 고유의 반응과 작용을 하면서 생명이란 현상을 그 나름대로 지배하고 있기 때문이다. 따라서 우리는 원자보다 한 수준 위인 분자레벨에서 생명현상을 다시 이해하여야만 하는데, 이러한 탄소원자를 주축으로 해서 이루어지는 거대분자인 단백질(protein), 핵산(nucleic acid), 다당류(polysaccharide) 및 지질(lipid)이 무엇인지를 알아보도록 하자.

거대분자(macromolecules)란 세포 내 고형물질들을 분자수준에서 본 총집합체이다. 가장 작은 생물(=미생물)의 일종인 대장균(*Escherichia coli*, 그림 2-4)의 경우, 이를 구성하고 있는 물질을 살펴보면(표 2-3) 총중량의 70%를 차지하는 물을 제외한 모두가 단백질(15%), DNA 혹은 RNA로 불리는 핵산(7%), 다당류(3%) 및 지질(2%) 임을 알 수 있다. 이들은 모두가 탄소가 포함된 유기화합물인데 이들은 모두 생물체를 이루는 주요한 분자덩어리인 것이다. 물론 그 수도 무척 많다.

표 2-3. 대장균의 구성분자

	세포의 중량 %	종류
물	70	1
단백질	15	3,000
	핵산	
DNA	1	1
RNA	6	>3,000
다당류	3	5
지질	2	20
당류	2	500
무기이온	1	20

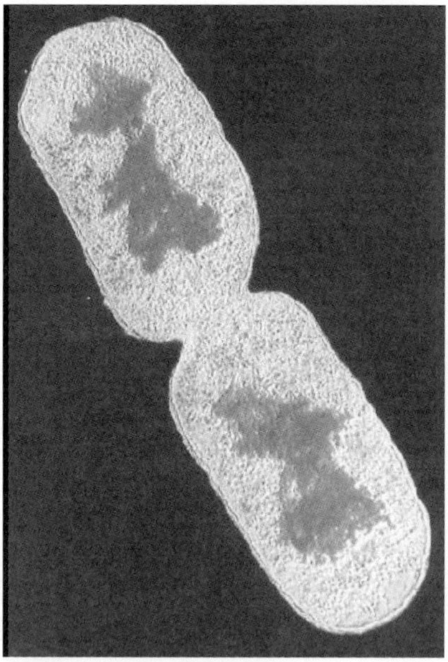

그림 2-4 전자현미경으로 본 대장균(*Escherichia coli*)의 모습. 대장균 세포가 2개의 세포로 분열되고 있다. 각 세포의 가운데 진한 색깔에 핵산인 DNA가 존재한다.

1) 단백질(protein)

단백질(protein)이라는 말은 그리스어 프로테이오스(*Proteios*)에서 유래한 말로 '첫째의' 혹은 '최고의'를 의미한다. 이는 단백질이 생물에게 있어서 가장 중요하다는 뜻으로도 해석되는데 실제로 대부분 생물의 건조중량의 50% 이상을 차지하고 있으며, 앞에서 언급한 것처럼 생물 활성을 나타내는 세포 내 가장 중요한 물질인 효소도 한 종류의 단백질이다. 특히 단백질은 생명현상을 전달하는 유전정보를 전달하는 장치인 수천 혹은 수만의 유전자(gene)가 만들어내는 산물(product)이다. 즉 세포 내의 수천 혹은 수만 종류의 단백질은 각각의 유전자에 의해서 규정된 특이한 기능을 담당하게 되며, 가장 풍부한 거대분자일 뿐만 아니라 그의 기능도 매우 다양하다.

생명을 갖고 있는 모든 생물에게 절대적으로 필요한 단백질은 그 수(數)가 엄청남에도 불구하고 모든 단백질은 기능이나 생물활성에 관계없이 공통적으로 20가지의 아미노산(amino acid, 표 2-4)으로 만들어져 있는데, 이는 생명의 단순성과 복잡성을 동시에 알려주는 것이기도 하다. 그렇지만 어떤 단백질은 효소로써의 기능을 하고, 혹은 호르몬으로 혹은 항체의 성질을 갖는 등의 이루다 말할 수 없는 다양한 생명의 기능을 수행하게 되는데 어떻게 그것이 가능한 것일까? 이에 대해 생화학자인 앨버트 레닌져(Albert Lehninger, 1917~1986)는 그의 유명한 책인 'The Principles of Biochemistry'에서 아주 쉽게 설명하고 있다. 결론부터 이야기하면, 단백질은 이를 구성하는 아미노산의 배열(sequence)이 다른데 아미노산은 단백질을 구성하는 알파벳 같은 것으로 이들은 거의 무한에 가까운 배열 순서를 나타낼 수 있으므로 거의 무한에 가까운 단백질을 만들 수 있기 때문이라는 것이다.

표 2-4. 20가지 아미노산의 종류

제 1 그룹 (비극성 R기)	제 2 그룹 (극성 R기)	제 3 그룹 (음전하 R기)	제 4 그룹 (양전하 R기)
알라닌 이소로이신 로이신 메치오닌 페닐알라닌 프롤린 트립토판 발린	아스파라긴 시스틴 글루타민 글리신 세린 트레오닌 타이로신	아스파르트산 글루탐산	아르기닌 히스티딘 라이신

『각 생물 종(species)에는 수 천(10^3)에 이르는 다양한 단백질이 존재하며, 또한 지구상에 존재하는 전체 생물 종은 약 1,000만(10^7) 종에 이른다. 그렇다면 단지 20종류의 아미노산만으로 10^{11} 이상에 이르는 배열이 과연 가능할까? 이 문제는 수학적으로 풀 수가 있다.

20종의 아미노산으로부터 이펩티드(dipeptide, 2개의 아미노산으로 만들어진 펩티드)가 되는 데는 2 종류의 배열이 가능하다(예, AB or BA). A, B, C 3 종류의 아미노산으로 된 삼펩티드(tripeptide, 3개의 아미노산으로 만들어진 펩티드)에는 ABC, ACB, BAC, BCA, CAB, CBA 라는 6종류($3 \times 2 \times 1= 6$)의 배열 순서가 가능하다. 따라서 n개의 대상물로부터 가능한 배열수는 n!이다. 4종류의 아미노산으로 된 사펩티드(tetrapeptide)의 가능한 배열은 $4! = 4 \times 3 \times 2 \times 1 = 24$이다. 즉, 20종의 아미노산으로 구성된 보통의 단백질(polypeptide, 폴리펩티드라고도 함)은 $20! = 20 \times 19 \times 18 \times 17 \cdots\cdots$로써, 이는 약 2×10^{18}이라는 엄청난 수에 달한다. 그러나 이들 20가지로 구성된 아미노산은 매우 작은 폴리펩티드로써 그 분자량은 약 2,600 달톤(dalton) 밖에 안 된다. 12종의 아미노산을 같은 수만큼 함유하는 분자량이 34,000 달톤인 단백질의 경우는 그 배열이 10^{300} 이상이나 된다. 이 단백질이 20종의 아미노산을 같은 수만큼 함유한다면, 그의 가능한 배열의 수는 이것보다 훨씬 많게 될 것이다.

이렇게 하여 20종의 아미노산으로도 모든 생물 종의 각각에 존재하는 수 천 종류의 단백질뿐만 아니라 과거 혹은 미래에 존재할 수 있는 모든 종이 갖고자하는 단백질의 배열을 채우는데 충분할 것이다. 현존하는 생물 종은 지금까지 지구상에 존재했던 생물 종의 약 1/1,000에 불과하다고 한다. 아미노산 및 단백질의 분자논리는 끊임없이 발산(diverging)하는 생물진화의 성질에 충분히 만족될 수 있을 것이다.』

이렇게 다양한 아미노산의 배열에서 나오는 수많은 단백질들은 그들을 구성하는 아미노산의 구성이 어떻게 변화하는지에 따라서 결국 다양한 구조와 기능을 가질 수밖에 없다는 것이 자명하다. 마치 이 세상에 존재하는 수많은 책과 문헌들이 결국 영어의 알파벳이나 한글의 자음과 모음으로 구성되어 존재하는 것처럼. 그렇지만 생물에 존재하는 모든 단백질은 그들의 생물학적 기능에 따라 크게 6가지 정도로 분류할 수 있다(표 2-5).

표 2-5. 생물학적 기능에 의거한 단백질의 종류

단백질	생물학적 기능
	1. 효소
헥소키나아제	해당과정에 의한 탄수화물 대사에 관여하는 효소로서 포도당에 인산기를 전달하는 효소
펩신	단백질을 가수분해하는 척추동물의 소화 효소
리보뉴클레아제	RNA를 분해하는 가수분해효소로서 모든 생물체에 존재한다.
RNA 중합효소	DNA로부터 RNA를 합성하는 효소로서 모든 생물체에 존재한다.
역전사효소	HIV(AIDS 질병을 일으키는 바이러스)에서 발견된 효소로 RNA로부터 DNA를 합성한다.
	2. 구조단백질
콜라겐	모든 동물에 존재하는 섬유상 단백질; 조직과 기관의 골격을 유지하는 그물망과 같은 형태를 취함
엘라스틴	폐의 연결조직 및 대동맥과 같은 큰 혈관 등에 존재하는 섬유상 단백질.
케라틴	외피 및 그 부속 구조물인 머리카락, 손톱, 깃털 등의 주성분으로 척추동물에 존재하는 견고한 섬유상 단백질
	3. 방어(면역)단백질
항체	고등동물의 면역 체계에 의하여 만들어지는 구상 단백질. 생체에 침입한 이물질을 파괴한다.
인터페론	바이러스의 복제를 방해하는 단백질로서 고등동물에서 생성된다.
	4. 수송 및 저장단백질
헤모글로빈	헴을 가지고 있는 구상 단백질로서 폐에 있는 산소를 다른 조직으로 운반한다.
카세인	우유에 존재하는 단백질로 아미노산을 저장한다.
페리틴	철을 저장하는 단백질로서 광범위하게 분포함
미오글로빈	척추동물에서 발견되며 헴을 지니고 있는 단백질로서 산소와 결합한다.
	5. 조절단백질 및 수용체
인슐린	고등동물의 췌장에서 합성되는 단백질로서 혈액 속의 포도당 농도가 높음을 인지하는 신호로 작용
글루카곤	고등동물의 췌장에서 합성되는 단백질로서 굶주림을 인식하는 신호로 작용(혈액 속의 포도당 농도가 낮음을 인지함)
	6. 근 수축과 운동단백질
액틴	골격근의 성분
미오신	골격근의 성분
디네인	정자의 편모 운동 및 원생동물의 섬모 운동에 관여하는 단백질

2) 핵산(nucleic acid)

생물체에 있어서 두 번째 중요한 거대분자는 모든 세포에서 유전정보의 보존, 전달에 보편적으로 역할을 담당하는 핵산(nucleic acid)인데 이는 크게 DNA (deoxyribonucleic acid, 데옥시리보핵산)와 RNA(ribonucleic acid, 리보핵산)로 대별될 수 있다(그림 2-5). 그림 2-5의 오른쪽에 보이는 DNA는 복제를 통한 유전물질의 보존과 전달에 꼭 필요한 물질이며, RNA(그림 2-5의 왼쪽)는 이 DNA에 존재하는 유전정보의 의미를 번역에 합당한 언어로 바꾸어 단백질을 만드는데 중요한 역할을 하는 물질로 mRNA(messenger RNA, 전령 RNA)가 대표적이다. 생명현상에 있어서 핵산이 중요한 이유는 생명의 중심명제(central dogma)가 'DNA 복제 → RNA 전사 → 단백질 합성'인 것으로 보아 잘 알 수 있다. 즉 생명의 흐름은 반드시 DNA 복제가 된 후 이를 이용하여 적당한 세포내 기구가 mRNA를 만든 후 이를 이용하여 리보솜(ribosome, 그림 2-6)이 아미노산을 이용해 단백질(폴리펩티드라고도 함)을 만드는 것으로 되어있다. 거꾸로 말하자면 생물에 필요한 모든 단백질은 mRNA에 존재하는 정보를 이용하여 만들어지는 것이며, 이 mRNA는 반드시 유전자(gene)가 기록된 DNA로부터 복사(혹은 전사)되는 것이기 때문이다. 즉 세포 내 단백질이 만들어 질 수 있는 것은 DNA와 RNA가 존재하기 때문인 것이다. 이러한 DNA와 RNA는 이들이 탄소 유기화합물인 관계로 항상 일정한 구조를 갖게 되며 이러한 구조로부터 DNA와 RNA의 고유의 기능이 정해지는 것으로 볼 수 있다. 따라서 대부분의 현대 과학자들이 동의하는 것처럼 모든 생명체는 반드시 DNA와 RNA를 갖게 되는 것이며, 이들은 생명의 시작인 것이다.

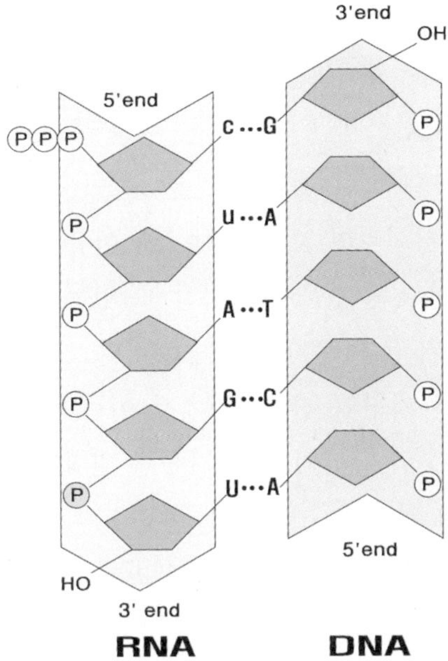

그림 2-5 DNA(deoxyribonucleic acid)와 RNA (ribonucleic acid)의 구조. 오른쪽이 DNA이며 왼쪽은 RNA이다.

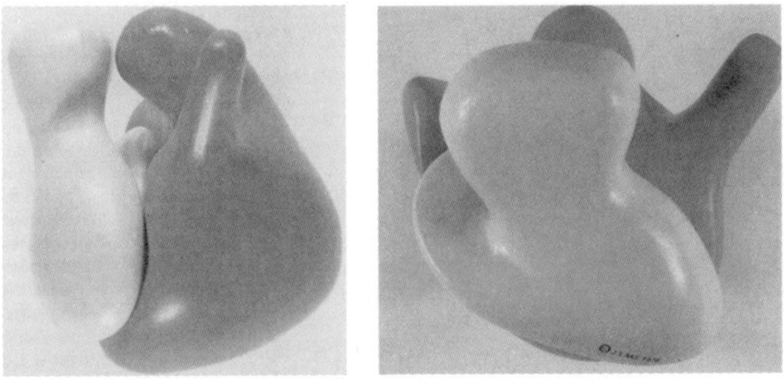

그림 2-6 단백질 생산 공장인 리보솜(ribosome). 큰 크기의 구조물(빨간색)과 작은 크기의 구조물(노란색)로 이루어진다. 몇 종류의 RNA와 수많은 단백질로 이루어진 매우 복잡한 세포내 소기관이다.

우리는 핵산과 생명과의 관계를 논하는데 있어서 깊이 생각해야할 점이 두 가지가 있다. 하나는 왜 DNA가 유전정보의 보관물질이 될 수 있었나? 둘째는 DNA 복제란 무엇인가? 이를 통해 우리는 생명의 기원에 대한 보다 더 근원적인 해답을 얻을 수 있을 것이다.

먼저 DNA가 유전정보의 보관물질이 된 이유를 결론부터 이야기하면 간단하다. 즉 DNA는 생물이 살아갈 수 있는 환경에서 단백질이나 RNA보다 더 안정된 물질(분자)이라는 것이다. 혹독한 고온(高溫)이 지배적이었던 초기의 지구의 진화과정에서 이런 환경에서 불안정한 단백질이나 RNA는 수십억 년의 긴 시간동안 변함없이 같은 유전정보를 후대의 생물들에게 전해줄 수 없었다. 이는 단백질이나 RNA의 화학적 구조와 성질에서 기인하는 것인데, 이에 반해 DNA는 보다 더 안정된 물질로써 그 내용이 변화되면 안 될 유전정보를 지속적으로 운반할 수 있었다. 그렇다면 왜 DNA는 안정적 물질이며 생물이 진화하는 수십억 년 동안에 유전정보의 변함없는 운반이 가능했을까? 이를 가장 먼저 인식한 과학자들은 'DNA의 이중나선의 구조'를 발표한 제임스 왓슨(James Watson, 1928~, 그림 2-7A)과 프란시스 크릭(Francis Crick, 1916~2004, 그림 2-7B)이었다. 1953년, 이들은 로잘린드 플랭클린(Rosalind Franklin, 1920~1958)과 모리스 윌킨스(Maurice Wilkins, 1916~2004, 그림 2-8)의 DNA 결정의 X-선 회절 분석 결과와 에드윈 샤가프(Edwin Chargaff, 1905~2002, 그림 2-9)가 발견한 DNA 염기조성의 특징(Adenine + Guanine = Thymine + Cytosine)을 이용해 DNA의 3차 구조 모델(그림 2-10)을 발표하였다.

(A)

(B)

그림 2-7 'DNA의 이중나선의 구조'를 해명한 제임스 왓슨(James Wastson, 왼쪽 A)과 프란시스 크릭(Francis Crick, 오른쪽 B)

그림 2-8 모리스 윌킨스(Maurice Wilkins, 1916~2004). 뉴질랜드 출생의 윌킨스는 영국의 MRC에서 로잘린드 프랭클린의 지도교수였다.

그림 2-9 에드윈 샤가프(Edwin Chargaff, 1905~2002). 미국의 생화학자로 미국 컬럼비아대학교 교수로 있으면서 DNA의 염기조성이 항상 [Adenine]+[Guanine]=[Thymine]+[Cytosine]이라는 것을 발견하였다.

제임스 왓슨과 프란시스 크릭은 이 모델에서 DNA는 2중의 나선 사슬로 되어 있으며, 이 2가닥의 사슬은 모두 같은 축의 주위를 오른쪽으로 감고 있는 이중나선(double helix)으로 이루어진다고 주장하였다. 그런데 그들은 이 이중나선에서는 5탄당인 친수성의 데옥시리보오스(deoxyribose)와 음전하를 띄는 인산기가 교차해서 배열되며 물과 상호작용을 하고 있으며, 그 옆에 소수성이며 평면구조를 취하는 피리미딘(thymine, cytosine, 그림 2-11)과 퓨린(adenine, guanine)으로 불리는 염기들이 나선 내부에 배치되고 있음을 알아내었다. 또 염기들은 서로 대단히 근접해 수소결합(hydrogen bond)을 하여 구아닌(guanine)과 시토신(cytosine), 그리고 아데닌(adenine)과 티민(thymine)이 염기쌍을 형성할 수 있음을 발견하였는데, 이러한 사실들은 DNA 구조가 물속에서 비교적 안정된 구조를 가질 수 있음을 알려주는 것이다. 한편 그림 2-10A에서 보이는 것처럼 이들의 DNA 이중나선 모델로부터 자연히 DNA 사슬에는 넓은 홈(major groove)과 좁은 홈(minor groove)이 존재할 수밖에 없는 것으로 나타났는데 이는 수십 년 후(현재임) 밝혀지고 있는 유전자(gene)의 발현기전(expression mechanism)을 이해하는데 대단히 중요한 단서가 되고 있다. 또한 제임스 왓슨과 프란시스 크릭의 'DNA의 이중나선의 구조' 모델은 DNA의 두 사슬이 서로 역평행(antiparallel)하고 있음을 보여 주고 있는데, 이는 DNA가 유전정보를 후대에 계속적으로 전달하기 위하여 필요한 DNA의 자기복제(self replication)에 대한 결정적인 정보가 되었다. 이들이 주장한 두 가닥의 DNA 사슬은 염기배열과 조성이 같지 않으면서도 마치 서로가 상보적(complementary)인 배열을 하고 있다. 한쪽 사슬에 아데닌(A)이 있으면 다른 쪽 사슬의 대응하는 위치에 언제나 티민(T)을 볼 수 있으며, 이것과 마찬가지로 한쪽에 구아닌(G)이 있으면 또 다른 쪽 사슬에는 반드시 시토신(C)이 있게 된다.

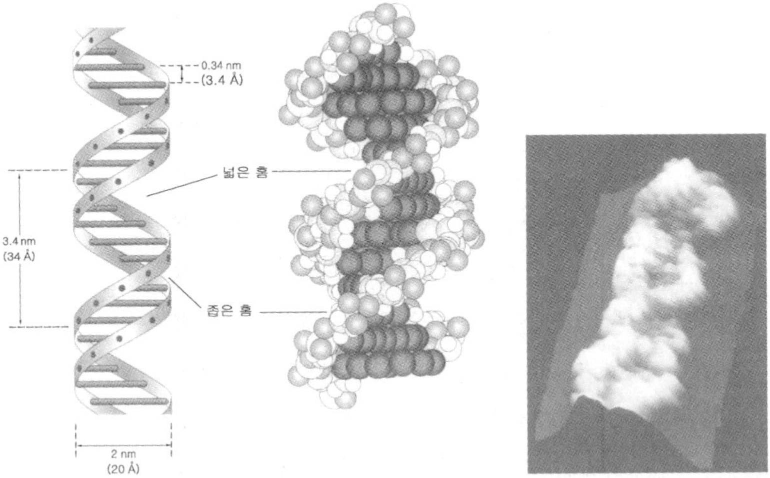

(A) (B)

그림 2-10 DNA의 3차 구조 모델(A)과 DNA의 실제 모습(B). 원자현미경(주사터널링 현미경)으로 2,500만 배 확대한 DNA의 실제 모습이 최근에 밝혀졌다.

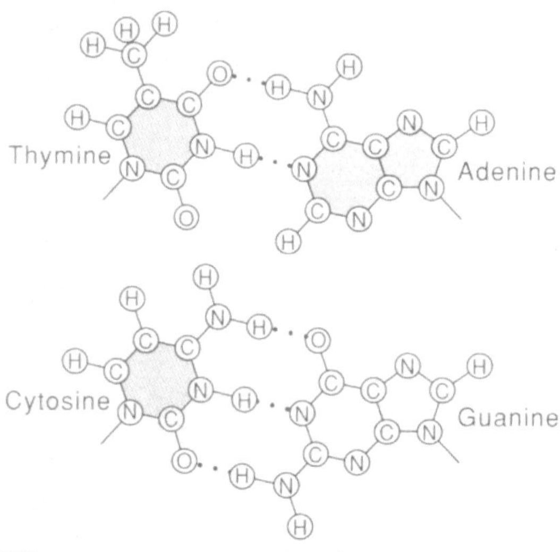

그림 2-11 Adenine, Guanine(퓨린)과 Thymine, Cytosine(피리미딘)으로 불리는 DNA를 구성하고 있는 염기들

이러한 왓슨과 크릭의 'DNA의 이중나선의 구조' 모델은 유전정보를 다음 세대에 전달하는 분자 메커니즘을 알려주는 것으로, 두 사슬의 DNA에 존재하는 염기배열이 서로 상보적이어서 어느 한 쪽이 복제되어 두 가닥이 되면 다른 한쪽이 복제되어 나타난 두 가닥의 모습과 그 염기배열이 정확히 똑같아진다. 따라서 하나의 세포가 분열해 2개의 딸세포로 만들어질 때, 2배로 증가한 DNA도 정확히 반반씩 분배되어 끊임없이 똑같은 유전정보를 매 번 새로이 만들어지는 세포로 전달될 수가 있게 된다. 이들의 가설들은 지난 수십 년간 실험되어온 화학적 또 생물학적 검증에 의해서 확인되었으며, 이러한 왓슨과 크릭의 DNA에 대한 새로운 해석과 DNA 구조결정은 궁극적으로 우리들의 생명에 대한 인식을 분자적 수준으로까지 확대시킬 수 있었다. 또한 많은 사람들은 그들의 발견이 물리학자로서 상대성이론을 주창한 알베르트 아인슈타인(Albert Einstein)의 업적과 동등한 것으로서 생물학과 생명의 인식에 있어서 새로운 패러다임(paradigm)을 형성했다고 믿고 있다. 그 여파는 지금도 계속되고 있으며, 이 책의 후반부에서 언급되는 인간에 의한 새로운 생명의 복제(제 5장)를 가능케 해 주었다. 이러한 그들의 업적으로 말미암아 제임스 왓슨과 프란시스 크릭 그리고 모리스 윌킨스는 1962년 노벨 의학 및 생리학상을 수상한 바 있다.

그럼 계속해서 두 번째 질문인 'DNA 복제란 무엇인가'에 대하여 간단히 알아보자. 세포분열이 일어나기 위하여 선행되는 DNA 복제방법은 왓슨과 크릭의 'DNA의 이중나선의 구조' 모델에서 영감을 받은 매튜 멧셀슨(Matthew Messelson)과 프랭클린 스탈(Franklin Stahl)의 '반보존적 복제'에 관하여 1958년 실시한 고난이도 실험을 통하여 밝혀졌다. 이들은 대장균과 방사성 동위원소를 이용하여 실과 같은 모습의 두 가닥의 DNA가 각각 한 가닥의 DNA 사슬로 분리되고 각각의 DNA 사슬은 주형(template)이 되어 떨어져 나가 분리된 상대의 DNA 사슬을 만들면서 DNA가 2배로 복제되고 있음을 발견하였다. 이 때 중요한 것은 한쪽의 DNA 주형사슬의 염기배열이 상보적이어서 다른 쪽의 DNA 사슬과 수소결합에 의해서 상보적 결합을 할 수 있다는 것이다. 따라서 만들어지는 새로운 사슬들은 반드시 이미 존재해 있던 사슬의 반쪽만이 새로이 만들어진다는 것이다. 즉 새로이 형성된 이중나선 DNA 사슬은 항상 원래의 DNA가 가지고 있던 한쪽 사슬 부분을 반드시 가지게 되는데 이러한 복제과정을 반보존적 복제(semi-conservative replication)라 한다. 한편 이러한 DNA 복제는 세포 내에서 DNA 중합효소(DNA polymerase)라는 단백질로 만들어진 복잡한 효소에 의해서 일어나며, 사슬의 합성방향은 반드시 5' → 3' 방향으로 새로이(*de novo*) 합성된다. 이 때 물론 염기인 A, G, T, C를 포함하는 뉴클레오티드가 사용된다.

3) 다당류(polysaccharides)

다당류(polysaccharides)는 탄수화물의 일종으로 포도당 같은 단당류가 기초단위분자가 되어 고단위(수천 개의 포도당 분자)로 중합된 것이다. 이 다당류는 세포질 내에 과립(granule)이라고 불리는 덩어리 형태로 세포에 저장되어 있는데, 에너지 저장물질인 전분이라고 불리는 녹말(starch, 그림 2-12A)과 글리코겐(glycogen, 그림 2-12B)이 대표적이다. 녹말은 식물세포의 엽록체(제 4장 세포의 출현에서 자세히 설명함)에 존재하는데 이곳에서 광합성 에너지를 이용하여 생산되며, 쌀, 보리, 감자, 옥수수, 밀 등에 특히 풍부하다. 글리코겐의 과립은 주로 동물의 간과 근육 세포에 풍부히 존재한다. 한편 셀룰로오스(그림 2-13)처럼 식물의 세포벽을 형성해 세포의 구조를 유지하거나 지탱해 기능을 담당하는 다당류도 있다.

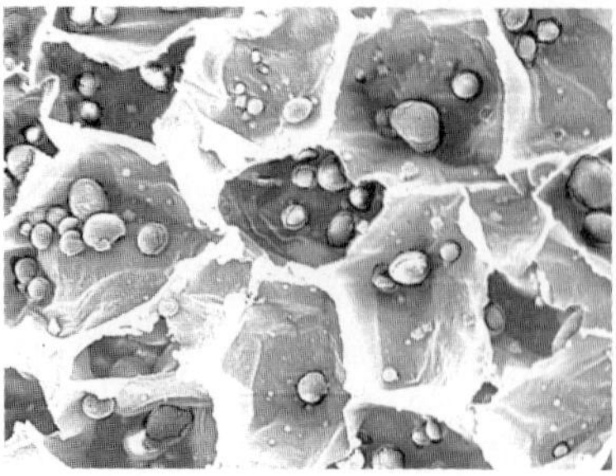

(A)

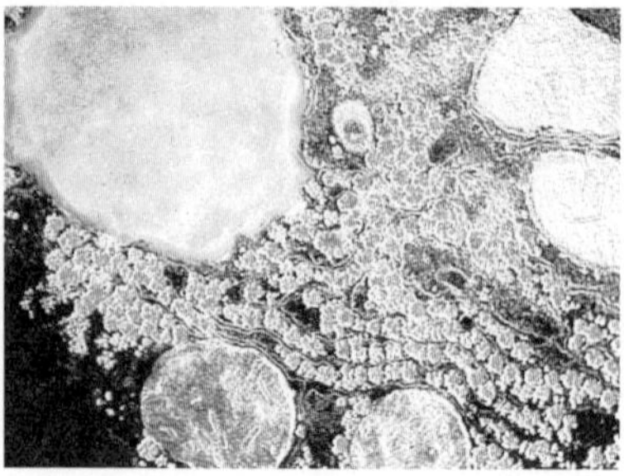

(B)

그림 2-12 (A) 전분이라고 불리는 녹말(starch), 세포벽 안에 동글동글한 녹색의 전분과립들이 보인다. (B) 글리코겐(glycogen)

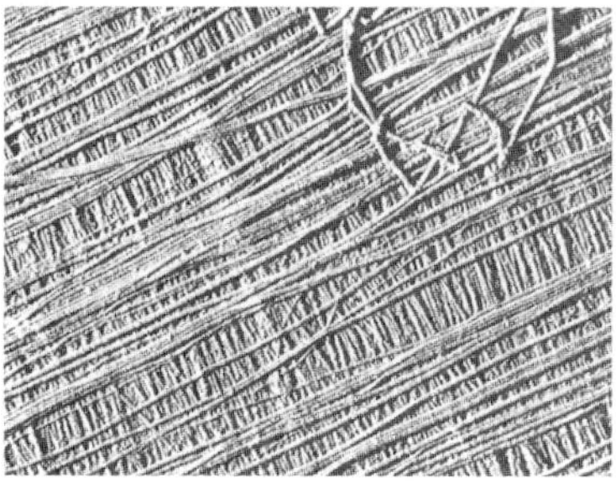

(A)

(B)

그림 2-13 (A)셀룰로오스와 (B)셀룰로오스로 이루어지는 나무의 단면

그렇지만 다당류를 구성하는 단위체로서 탄수화물의 기능은 다음과 같이 4가지로 요약할 수 있다. ① 탄수화물은 에너지 대사(energy metabolism)에서 에너지를 저장하는 역할로 가장 잘 알려져 있다. 이 부류의 어떤 화합물(포도당과 과당)은 세포에 의해 직접적인 에너지원으

로 이용되지만 이들로 구성되는 다당류인 녹말과 글리코겐은 식물과 동물에서 나중의 에너지 요구를 위한 화학적 저장 물질인 셈이다. ② 탄수화물은 세균과 식물의 세포벽(cell wall)의 지지대, 동물의 연골(cartilage)같은 연결 조직(connective tissue), 게와 풍뎅이 같은 절지동물의 껍질(exoskeleton)과 같은 구조적 기능을 담당한다. ③ 단당류인 리보오스(ribose)와 데옥시리보오스(deoxyribose)는 유전정보를 담당하는 핵산(RNA와 DNA)의 성분으로서 역할을 맡는다. ④ 탄수화물은 단백질 및 지질(lipid)과 공유결합을 함으로써 세포 표면에서 다른 생체분자가 인식할 수 있는 표지물(혹은 안테나)로서 작용한다(그림 2-14 참고). 따라서 탄수화물은 생물체의 영속성을 위한 에너지원으로써, 생물체의 모습을 갖추게 하는 단위체로써 중요한 역할을 하고 있다.

4) 지질(lipid)

지질(lipid)은 용해도에 대하여 독특한 특성을 가지는 생체분자의 한 종류로 소수성(hydrophobic)이기 때문에 물보다 에테르, 메탄올, 그리고 헥산(hexane)과 같은 비극성 용매에 더 잘 녹는다. 이들 지질은 아미노산이나 탄수화물과 같은 화학적 구조(structure)보다 물리적 작용(behavior)에 의하여 정의되므로, 지질이라고 불리는 분자들은 매우 다양한 종류의 화학적 구조를 볼 수 있다. 지질은 비극성의 특성을 나타내는 탄소와 수소 같은 원소뿐만 아니라 산소, 질소, 그리고 인을 포함한다. 지질은 세포의 대사에 필요한 주요한 연료로 이용될 수 있는 화학에너지의 한 가지 형태이며, 동시에 세포막(그림 2-14)을 형성하여 세포의 모습을 세포답게 해주고 있는 주요한 거대분자이기도 하다. 이러한 지질로 구성되어 있는 막은 주위환경으로부터 세포를 둘러싸 세포의 내용물을 외부로부터 격리시켜, 생명현상에 필요한 여러 가지 대사 활동이 세포내부에서 일어나게 해 주고 있다.

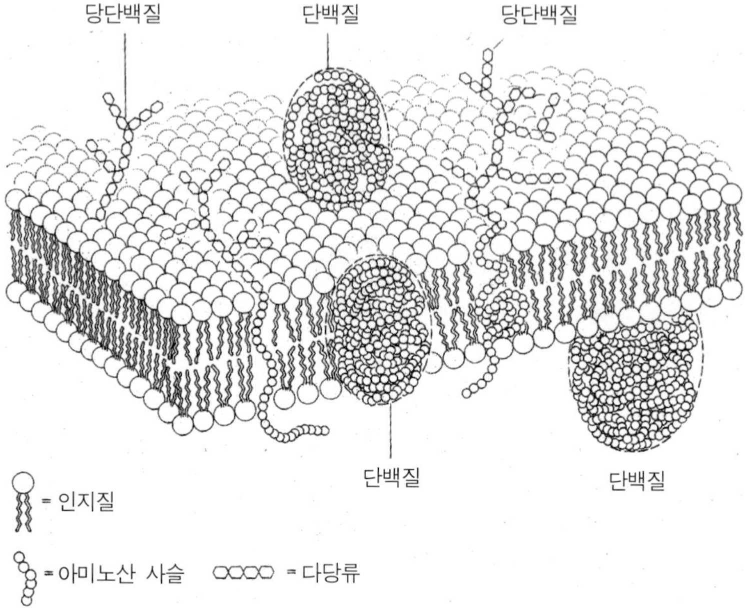

그림 2-14 지질로 구성된 세포막의 초분자 구조. 세포막은 극성 지질인 인지질(phospholipid) 이외에 단백질(protein)과 탄수화물(carbohydrate)도 포함하고 있다.

지질에서 가장 일반적인 화학적 관능기는 탄소-탄소 단일결합 및 이중결합, 카르복실산 에스테르(carboxylate ester), 인산 에스테르(phosphate ester), 아민(amine), 그리고 아미드(amide)이다. 앞에서(제 2장 2절) 어떻게 탄소분자의 구조에 대한 화학적 특성이 항상 생물학적 기능의 다양성을 가져오게 되는지에 대하여 논의하였다. 이 원칙은 지질에 대하여서도 마찬가지로 적용된다. 지질은 에너지 대사에서의 역할에 대하여 가장 잘 알려져 있다. 대부분의 생물체에서 에너지 저장을 위한 기본적인 분자는 우리에게 친숙한 지방(fat)이라고 부르는 비극성 지질이다.

또 다른 형태의 지질은 질소나 인을 포함하는 극성 지질로 이들은 주로 세포의 표면을 구성하는 생체막(혹은 세포막, 그림 2-14)의 중요한 성분이다. 세포에 존재하는 막의 성분은 지질과 단백질로 구성되어 있으며, 모든 세포 및 세포내 소기관(organelle)을 둘러싸는 분자 경계를 형성한다. 따라서 지질로 이루어지는 세포의 막들은 세포의 모양과 형태를 유지하고 외부 환경으로부터 세포의 내용물을 보호할 수 있다. 한편 막에 존재하는 단백질 분자들은 세포의 내부와 외부의 생체물질들의 수송을 조절하기 위한 통로(channel) 및 문(gate)으로 작용한다(그림 2-14). 앞서 설명한 콜레스테롤(그림 2-2)도 스테로이드에 속하는 중요한 지질의 한 종류인데, 세포막에 존재하며 여러 가지 호르몬과 비타민 D의 전구체 역할을 한다. 한편 세포에 존재하는 지질의 종류는 다양한데 비교적 우리에게 친숙하게 알려져 있는 β-카로텐(비타민 A의 전구체), 레티날(비타민 A의 한 형태), 비타민 K, 성호르몬인 에스트로겐과 테스토스테론, 신호분자인 프로스타글란딘 및 미토콘드리아의 전자전달체인 유비퀴논 등이 지질에 속한다.

제3장
RNA의 세계(world)

현존하는 생물에 있어서, 핵산은 단백질인 효소의 구조를 특정하게 지정하는 유전정보(genetic information)를 암호화하고, 효소는 핵산의 복제를 촉매하고 있다. 그런데 우리는 지금 생명의 기원에 있어서, 서로 의존하고 있는 이들 2가지 종류의 거대분자인 DNA와 단백질 중의 어느 쪽이 먼저 나타났는가에 대한 어려운 문제에 봉착해 있다. 마치 닭이 먼저인지 달걀이 먼저인지를 논쟁하는 것처럼. 그 해답은 놀랍게도 둘 다 아닌 것으로 많은 연구 결과로부터 얻어지고 있다.

1982년 미국 콜로라도대학교 생화학과 교수인 토마스 첵(Thomas Cech, 1947~, 그림 3-1A)은 원생동물(*Tetrahymena thermophila*)로부터 분리한 RNA 분자가 자기 자신의 일부분을 절단하고 나머지 부분끼리 서로 '이어맞추기(self splicing)'를 하는 알 수 없는 현상을 발견하였다. 여태까지는 RNA(핵산) 분자를 절단하는 것은 단백질인 리보뉴클레아제(표 2-5)라는 핵산가수분해효소의 촉매작용으로 알려졌는데 RNA 스스로가 화학반응을 촉매하여 새로운 RNA 분자를 형성하게 되는 것은 받아들이기 힘든 사실이었다. 한편 같은 시기에 생물물리학을 전공한 예일대학교 교수인 시드니 알트만(Sidney Altman, 1939~, 그림 3-1B)은 세균에서 RNA와 단백질이 결합된 색다른 효소(Ribonuclease P)를 발견하였는데 처음에 그는 이것이 실험 중 생긴 오염물질로 생각하였지만 이 효소에서

RNA를 제거하니까 효소의 기능이 사라져 버렸다. 오히려 RNA를 시험관에서 조심스럽게 추출해 분석해보니 오히려 RNA에 RNA가 절단되는 촉매작용을 하고 있음을 발견하였다. 이러한 결과들이 발표되면서 과학계는 큰 충격에 빠졌다. 왜냐하면 토마스 첵과 시드니 알트만이 발견한 것은 그 때까지 과학적 상식을 무너뜨리는 것이었기 때문이다. 또한 이러한 발견은 원시지구에서 단백질(효소)의 도움이 없이도 RNA는 진화를 할 수 있었으며, 이러한 촉매능력을 갖는 RNA는 스스로 증식할 수 있는 최초의 원시분자일 수 있다는 가능성을 열어주었다. 즉 이들의 연구 결과인 촉매성 RNA의 발견은 매우 흥미로운 생명체의 진화에 있어서 '잃어버린 연결 고리(missing link)'를 찾아낸 것으로 인식되어졌다. 정보 분자인 핵산으로써의 역할(알)과 화학반응에 있어서 촉매(닭)로서의 두 가지 기능을 갖는 RNA는 최초의 거대 생체분자 중의 하나이고 세포의 진화 초기 단계에서 주된 역할을 하였다고 믿게 되었다. 예를 들면, 단백질 합성 과정에서 아미노산을 연결하는 리보솜 효소인 펩티딜기 전달효소(peptidyl transferase)는 생명 기원에서의 최초의 촉매 중 하나로 여겨지는 리보자임으로 밝혀졌다. 진화 과정 동안 RNA의 촉매 기능은 좀 더 효율적이고 다양한 촉매인 단백질이 대신하게 되었다고 보고 있다.

그림 3-1 (A) 토마스 첵(Thomas Cech)과 (B) 시드니 알트만(Sidney Altman).

결국 그들의 이러한 과학적 발견은 본질적으로 지구상에서 생명이 시작된 방식에 대하여 전적으로 새로운 통찰력을 사람들에게 가져다주었다. 이에 그들은 매우 이례적으로 빨리 노벨 화학상(1989년)을 공동 수상하게 되었다. 이렇듯 RNA 분자가 자기 자신의 분자합성에 촉매로써 기능을 한다는 사실이 발견된 후, 이러한 종류의 RNA 분자는 리보자임(ribozyme, RNA와 효소를 의미하는 enzyme의 합성어, 그림 3-2)이라고 명명되었다. 이후 다른 형태의 촉매 RNA가 계속 발견되고 있는데 식물에 기생하는 RNA 바이러스(그림 3-3)의 구성 성분으로서 작은 리보자임의 경우, 이 바이러스 RNA의 촉매 활성 부위는 19~30개만의 뉴클레오티드로 구성되어 있고 특징적인 모양과 분해 작용 때문에 "망치머리" 리보자임으로 명명되었다. 이러한 기초적인 내용을 이해하였으면 이제 새로운 주제인 'RNA의 세계'로 들어가 보자.

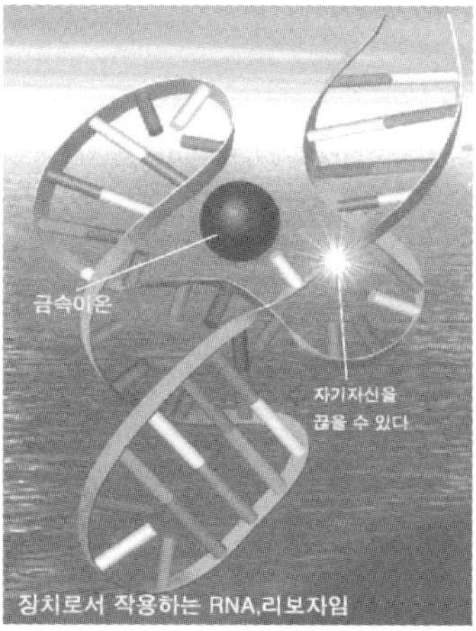

그림 3-2 리보자임(Ribozyme). 이 RNA는 "알"이면서도 "닭"의 기능을 하는 RNA 분자로 생명 출현의 역사에서 매우 중요한 역할을 했다고 믿고 있다. 가운데 검은 공으로 보이는 금속이온이 존재하면 RNA 스스로 절단하는 능력이 향상된다고 한다. (출처: Newton 2010년 11월호)

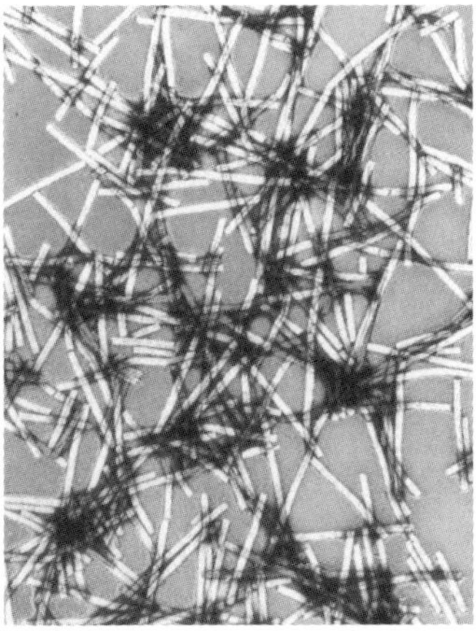

그림 3-3 식물인 담배에 모자이크병을 일으키는 담배모자이크바이러스(Tobacco mosaic virus, TMV)의 전자현미경 사진. 바이러스가 막대기 모습으로 보인다.

RNA가 지구상의 최초의 생명으로 유전자의 역할('알')을 수행함과 동시에 최초의 RNA성 촉매('닭')라는 가능성을 간파하게 된 하버드대학교의 월터 길버트(Walter Gilbert, 1932~, 그림 3-4)는 1986년 'RNA의 세계 가설(RNA world hypothesis)'를 주창하였다. 월터 길버트의 시나리오(그림 3-5)에 의하면, 원시지구의 거대한 대양으로 존재하는 원시 수프(primodial soup)에서 DNA나 단백질보다 RNA가 먼저 출현하였으며, 이 중 리보자임이라는 '스스로 자기 자신의 RNA 분자의 새롭게 형성할 수 있는 RNA 분자'로 우연히 형성되었다고 본다. 이 후 RNA는 단백질에게 화학 반응을 촉매하는 기능을 양보하고, 더 늦게 나타난 DNA에게 유전자의 기능을 양보해 현재의 생명으로 진화했다는 것이다.

생명의 진화에 있어서 가장 초기 단계의 하나인 일련의 염기배열을 갖는 RNA 분자가 이처럼 자기복제(self replication)하는 영속성을 지닌 RNA 분자는 1분자에서 2분자로, 2분자에서 4분자로…… 긴 시간 동안

(수억 년) 지수적으로 증가하게 되는데, 이들의 자가복제는 정확성이 없었으므로 복제과정 중에서 많은 다른 종류의 RNA가 생기게 되었고 그들 중 몇 가지만이 효율적으로 자기복제가 가능하였으리라고 생각되고 있다. 결과적으로 지구에 존재했던 모든 대양(ocean)이 온갖 종류의 RNA로 꽉 차 있다고 할 수 있다. 하지만 복제에 필요한 뉴클레오티드를 획득하는 경쟁에서 자기복제에 가장 효율이 좋은 RNA 배열만이 이기고, 효율이 나쁜 RNA 복제물은 그 집단으로부터 사라져 버렸다고 믿고 있다.

이 'RNA의 세계' 가설에 의하면, DNA(유전정보의 저장고)와 효소 단백질(촉매)의 기능분담은 비교적 긴 시간 이후에 나타나게 된 것으로 보고 있다. 자기복제를 하는 RNA 분자는 아미노산이 펩티드로 축합되는 반응을 촉매할 수 있는 능력을 다시 획득해서 새로운 돌연변이(mutant)로 발전되었다. 그리고 그 결과 합성된 작은 단백질(polypeptide)은 RNA의 자기복제 능력을 좀 더 보강했으며, RNA 분자와 보조단백(helping peptide)의 쌍은 보다 효율적으로 자기복제계(self replication system)를 만들게끔 다시 변형되었을 것이다.

그림 3-4 월터 길버트(Walter Gilbert). 미국의 하버드대학교 교수인 그는 DNA의 염기서열을 화학적으로 결정하는 방법을 발명함으로써 1980년 노벨 화학상을 받았으며, 1986년 'RNA의 세계 가설(RNA world hypothesis)'를 주창하였다.

지구의 원시대기로부터 핵산을 포함하는
원시 수프(primodial soup)의 형성
↓
임의적인 배열을 갖는 짧은 RNA 분자의 형성
↓
자기복제 촉매능력을 가지고 있는
RNA인 리보자임의 선택적 복제
↓
리보자임에 의해서 촉매되는
특이적 펩티드의 합성
↓
RNA 복제에 있어서 펩티드 역할의 증대
즉 RNA와 단백질의 공동 진화
↓
RNA 게놈과 RNA-단백질 촉매와 함께
원시번역 시스템의 발달
↓
게놈 RNA가 DNA로 복사되기 시작
↓
단백질 촉매에 의한 RNA-단백질 복합체
(리보솜)에서 DNA의 정보가 번역됨

그림 3-5 'RNA의 세계' 가설

이 원시적인 단백질 합성 체계가 확립된 후 진화가 계속 되었다고 생각된다. 즉, 자기복제를 하는 RNA 분자에 상보적인 배열을 갖고 있는 DNA 분자가 '유전적 정보'를 보존하는 기능을 획득한 것이다. 그리고 RNA 분자는 단백질만 합성하도록 진화되었다. 단백질에는 다양한 촉매활성이 있다는 것을 알게 되고, 이후 그 기능을 받아들이게 되었다. 원시 수프 중의 지질(lipid) 같은 화합물은 자기복제를 하는 분자의 집합체 주위에 비교적 투과성이 없는 막을 형성했다. 이들의 지질로 둘러싸인 단백질과 핵산의 농도는 자기복제에 필요한 분자의 상호작용에 가장 알맞게 되었다. 이러한 'RNA의 세계' 가설은 현재 생명의 기원을 설명할 수 있는 가장 유력한 가설로 발전하고 있다.

제4장
세포의 출현

이제 우리는 매우 혼란스러운 주제에 접어들었다. 즉 어떻게 지구상에 생명체인 세포(cell, '작은 방' 혹은 '가느다란 방'을 의미함)가 출현 혹은 창조되었는가? 현대의 대표적인 진화론자인 리처드 도킨스의 주장에 의하면 10^{20}의 확률로 계산되어지고 있는 기적에 가까운 행운인 지구상의 세포의 출현은 매우 어려운 질문일 수밖에 없다. 그렇지만 앞서 제 1장 원시지구와 생명의 출현에서 설명한 것처럼 45억 6,000만 년 전에 원시지구가 모습을 나타낸 후 약 10억 년이 지난 35억 년 전에 지구에 단세포성 시아노세균(남조류에 속하는 광합성 세균)이 출현한 것은 절대로 바뀔 수 없는 사실이다. 왜냐하면 35억 년 된 지구의 지층에서 이 시아노세균의 화석유물이 수 없이 발견되고 있기 때문이다.

한편 최신 연구 발표에 의하면 지구에 최초로 생명체인 세포가 탄생한 연대를 좀 더 오래된 약 38억 년 전으로 추정하고 있는데, 그 근거는 북극에 위치한 거대한 섬인 그린랜드(Greenland, 덴마크 자치령)의 시생대 지층인 38억년 된 지층에서 탄소덩어리인 '검은 얼룩'을 발견했기 때문이다. 이 지층은 과거에 바다 밑바닥에 있다가 해수면 위로 솟아 오른 땅이다. 1999년 덴마크의 지질학자인 미니크 로징(Minik Rosing)

은 이 지층에서 발견한 '검은 얼룩'이라고 명명된 탄소덩어리를 분석한 결과 여기서 발견된 탄소가 ^{12}C로 구성되어 있음을 확인하였다. 우주와 지구에 존재하는 탄소는 원자 질량이 12인 탄소(^{12}C)와 원자 질량이 13인 탄소(^{13}C)로 존재하는데, 생물의 경우 생물이 광합성을 하기 위하여 이산화탄소를 흡수할 때 가벼운 탄소인 ^{12}C를 갖는 이산화탄소를 더 빨리 흡수하여 탄소 유기화합물을 만들어 낸다. 이런 이유로 '검은 얼룩'의 탄소덩어리는 그 당시(38억 년 전) 존재했던 생물의 시체라는 것이다. 이는 지구상에 존재하는 석탄이나 석유가 모두 지질연대로 고생대나 중생대에 번성했던 식물과 동물들이 고온과 고압에의 조건하에서 변성되어 탄화수소로 만들어진 것과 같은 이치이다.

한편 지구상에 광합성 미생물인 시아노세균이 나타나기 까지는 지구 탄생 후 10억 년이라는 장구한 시간이 흘렀는데 이를 시간 단위로 환산해보면 10^9년 × 365일 × 24시간 = 876,000,000,000,000 시간(= 876조 시간)이다! 이 상상할 수 없는 시간 동안에 바다에 수많이 존재해 있는 생체분자(혹은 요소)들이 모여서 단 한 개의 세포가 자연적으로 만들어졌다면 너무나 기적과 같은 사건일까? 특히 생명분자들의 반응 속도는 평균 1/100,000초에서 1/1,000,000초에 한 번씩 일어날 수 있는데 그것도 0.001 mm × 0.001 mm × 0.001 mm(1.0×10^{-9} mm^3)의 엄청나게 작은 공간에서 말이다. 이는 여러분이 흘릴 수 있는 눈물 한 방울의 10억분 1의 분량이다! 하지만 현재까지 지구 역사 중 가장 오래되었다고 믿고 있는 지질시대 연대상 시생이언(Archean Eon, 선캄브리아기의 첫 시기)에 속하는 45억 6,000만년~38억 년 전 사이에 생명의 기원이 될 수 있는 그 무엇(Progenote라고 함)이 화석유물로 발견되고 있지 않다. 왜냐하면 그 시기에는 지구가 거의 바다로만 되어 있기 때문이며 그런 연대의 지층은 지각운동에 의해 이미 지구 속 맨틀층으로 들어가 다시 마그마가 되었거나 현재 지구과학자들이 아직은 발견하고 있지 못하기 때문이다. 따라서 이 부분에 있어서 소위 창조론(creationism)을 신봉하는 사람들과 진화론(evolutionism)을 옹호하는 사람들이 항상 격돌하고 있다.

1. 오파린의 화학적 진화로 본 세포의 탄생

러시아의 생화학자 알렉산더 오파린(A. I. Oparin)의 저서 '생명의 기원'(The Origin of Life, 1924년 저술)은 1938년 영어 번역본이 미국의 하버드대학교 출판부에서 처음 나왔는데, 현대의 대부분의 교과서들은 세포의 출현이라든지 생명의 탄생에 대한 주제에 있어서 오파린의 주장인 '코아세르베이트(coacervate) 가설'을 담고 있다. 그의 발표 이후 존 할데인(John Haldane), 스탠리 밀러(Stanley Miller), 해롤드 유레이(Harold C. Urey, 1893~1981), 및 시드니 폭스(Sydney W. Fox)들이 생명의 출현과정을 설명하는데 있어서 진화론적으로 오파린의 이 코아세르베이트 가설을 기초로 하여 많은 실험을 하였다. 결과적으로 오파린의 가설인 코아세르베이트설은 궁극적으로 현재 생명의 기원에 대한 '화학적 진화(chemical evolution)'의 원조가 되었다.

코아세르베이트란 두 가지 다른 중합체(단백질, 핵산, 다당류 등)로 이루어진 콜로이드 용액에서 자연적으로 형성되는 작은 액체 방울 모습인 미세구형(microshpere)이다. 자연적으로 만들어질 수 있는 이러한 미세구형인 코아세르베이트는 5가지의 특징을 갖게 되는데 다음과 같다. ① 마치 현존하는 세포막처럼 외부와 경계막을 형성한다. ② 크기가 커지면 세포가 분열하는 것처럼 둘로 나뉜다. ③ 미세구형의 내부에서 화학작용이 일어난다. ④ 투과성이 있다. ⑤ 주변으로부터 물질을 선택적으로 흡수한다. 따라서 오파린은 이러한 특징들을 갖는 코아세르베이트만이 원시지구상에서 가장 먼저 존재하였기 때문에 코아세르베이트가 결국 진화하면서 세포로 발전하게끔 해준 가장 기본적인 세포 형태의 입체 구조물이었다고 주장하였다.

리처드 라이트(Richard Wright)에 의하면 이러한 생명의 출현 단계는 오파린의 주장대로라면 5단계로 나누어 질 수 있다고 한다. 즉,

1단계. 제일 처음의 단계로 원시대기 중에는 수증기, 질소, 이산화탄소, 메탄, 암모니아 및 수소는 존재하지만 산소가 없는 생명분자의 생성에 매우 적합한 환경이 만들어졌다. 그러므로 원시대기는 환원대기(還元大氣)였으며, 지구가 식어가면서 물이 응축했으며, 원시바다가 출현했다(그림 4-1).

그림 4-1 원시지구의 상상도

출처: Scientific American, 1999, July 표지.

2단계. 원시지구의 대기에 자외선, 방사능, 번개, 화산 폭발에 의한 고열 등의 엄청난 에너지가 공급되면서 탄수화물, 아미노산 및 지방산과 같은 단순한 유기화합물 등이 바다물과 대기 중에서 화학 반응 결과로 형성되었다. 이 결과로 생겨난 그 당시 지구의 바다 전체는 마치 "원시 수프(primodial soup)"라고 부르는 유기화합물이 희석된 거대한 수프로써 이해되고 있다.

3단계. 계속되는 에너지 투입에 의해 단량체의 강렬한 중합이 일어났고, 또 촉진되었는데 산소가 없었으므로 분해로부터 보호되었다. 격리된 물웅덩이나 진흙 입자에 있는 "수프"는 농축되어 중합과정이 가속되었을 것이며 이 중합체는 단백질이나, 핵산, 아니면 아마 둘 다였을 것이다.

4단계. 중합체가 지질 막에 의해 감싸이고 또 외부의 배양액과 분리됨으로써 전구세포가 형성되었다. 이 전구세포들은 코아세르베이트 덩어리이거나 단백질성 미세입자 또는 어떤 다른 것일 수 있으나, 그것들은 생화학적 중합체로 만들어졌으며 배양액으로부터 분리되었으며 또 몇 가지 내부 구조물을 갖고 있다.

5단계. 마지막 단계는 생식과 대사 둘 다 가능한 최초의 원시적인 세포들의 형성이었다. 이것들은 의심할 바 없는 박테리아 같은 종속영양체이며 그것은 수 억 년 동안 형성된 유기물을 대사(代謝)할 수 있다.

2. 시드니 폭스의 단백질성 미세입자설

현 시점에서 생명의 기원을 논하는데 가장 토론이 심한 부분이 지구상의 세포의 출현이다. 그 이유는 우리가 2장 '원자 및 분자 수준에서 본 생명'에서 이미 원자 및 분자들이 생명 현상을 갖기에 충분한 성질과 조건을 가지고 있음을 근원적으로 살펴보았음에도 불구하고, 현 시점에 있어서 그러한 생명력을 갖는 분자들이 어떻게 생물의 기본 단위가 되는 세포가 될 수 있을까? 에 대한 결정적인 증거(예를 들면, 원핵세포 이전의 생명이 있는 세포 전구체에 대한 화석)가 없기 때문이다. 그렇지만 35억 년 전의 미생물인 박테리아들이 화석으로 호주 대륙과 아프리카 대륙에서 발견되고 있는데(그림 4-2), 이들은 소위 원핵세포(prokaryotes)라고 불리는 핵(nucleus)이 없는 원시적인 세포이다. 우리는 여기서 실험 등을 통하여 만들 수 있는 원시세포의 조상이라고 여겨지는 단백질성 미세입자(proteinoid microspheres)에 대해 알아봄으로써, 과연 이들이 세포로의 전이가 가능할 수 있는가를 먼저 알아보도록 하자.

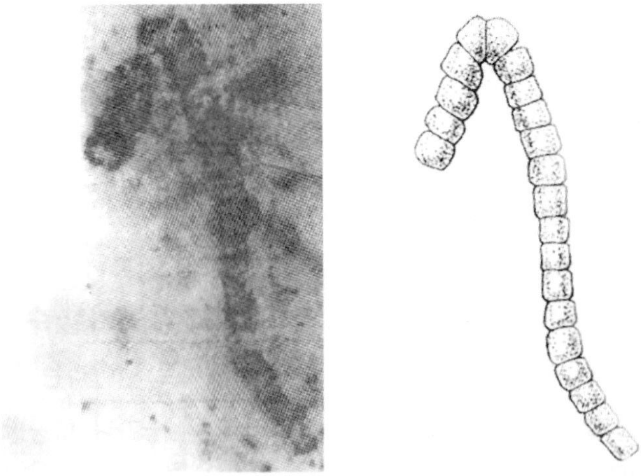

(A)

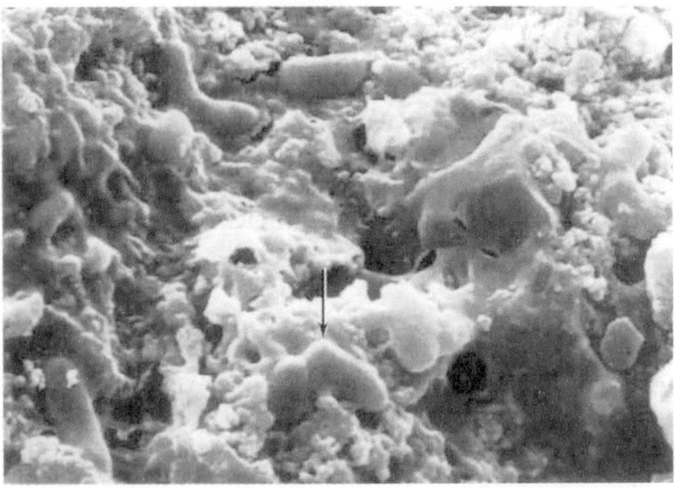

(B)

그림 4-2 (A) 호주 서부지역에서 발견된 최초의 미생물 화석으로 시아노세균으로 35억 년 전의 암석에서 발견되었음(왼쪽). (B) 아프리카에서 발견된 34.5억 년 전에 존재한 막대기처럼 생긴 간균(화살표)의 화석 증거(오른쪽).

시드니 폭스(Sidney W. Fox, 1912~1998)와 그의 동료 과학자들은 1959년 실험실에서 고농도의 아미노산 용액을 높은 온도로 가열한 후 천천히 냉각시키게 되면 동글동글한 단백질성 미세입자(proteinoid microspheres, 그림 4-3A)가 만들어지는 것을 발견하였다. 즉 단백질성 미세입자란 뜨거운 단백질의 액체용액이 식어가면서 자연적으로 생기는 덩어리를 지칭하는데 이러한 모습은 맥주를 만들거나 빵을 만드는데 이용되는 진핵세포인 효모(yeast)의 모습과 너무나 닮았다(그림 4-3B).

이 단백질성 미세입자의 특징은 ① 저장액(hypotonic medium)에서 부풀며 반대로 고장액(hypertonic medium)에서의 수축현상, ② 이중 경계막 형성, ③ 입자 내부의 흐름, ④ 크기의 증가와 복잡성, ⑤ 효모(yeast)와 같은 출아법에 의한 분열, ⑥ 박테리아에서 볼 수 있는 집합체(aggregation)적 모습 등을 들 수 있는데 이러한 성질들은 보다 더 발달한 생명체의 모습과 비슷하다. 따라서 그는 세포 출현 이전의 세포 전구체(prebiont)는 오파린의 코아세르베이트 덩어리라기보다 이러한 생명의 특성을 갖는 '단백질성 미세입자'라고 주장하였는데 사실 생명의 기원을 설명하는 부분에서는 시드니 폭스의 주장이 훨씬 더 설득력이 있다.

즉 원시바다에서 이러한 생물체 구조를 갖는 자연발생적인 소형의 구형의 구조물에 추가로 우연히 거대분자가 가질 수 있는 생명현상이 같이 집합된다면 우리는 충분히 이러한 것들을 생물 세포의 전구체로 볼 수 있는데, 불행히도 지구상에 존재했다는 증거가 화석으로 남아있지 못해 생명의 기원으로서 역할을 못하고 지구상의 최초의 세포는 전술한 원핵세포로 되고 있는 실정이다. 그렇지만 이러한 것들이 아주 없었다고 단정하기보다는 어쩌면 그러한 화석증거는 현재 우리의 기술이 충분치 못하여 발견하지 못하는 것일 수도 있다. 또한 생명의 출현이 가능하기 위해서는 시드니 폭스가 증명한 생명체의 모습(구형 모습의 미세입자, 그림 4-3A) 이외에도 미세입자에 거대분자들이 외부와 격리될 수 있는 막(지질막)에 대한 실험적 증거와 화석 증거가 필요한데 아직은 이에 대하여 흡족할만한 결과가 없다. 이는 또한 창조론자들이 생명체가 스스로 탄생되지 않고 하느님 같은 절대자나 인간보다 훨씬 우수한 고등의 외계 생명체에 의해서 지구상에 생명들이 창조되었다고 주장하는 주요한 근거가 되고 있다.

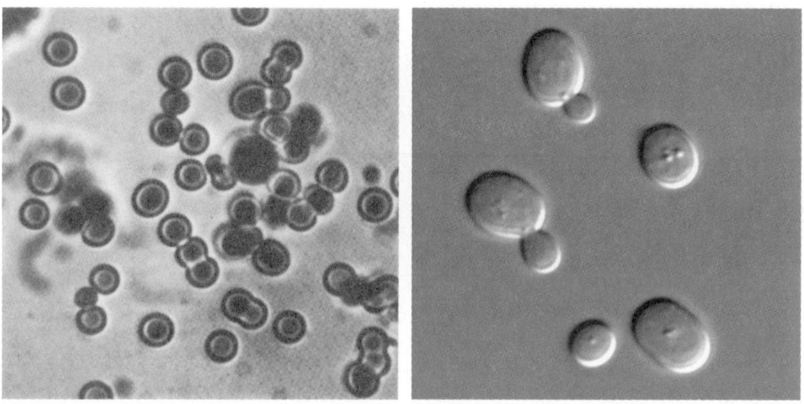

(A) (B)

그림 4-3 (A)주사전자현미경으로 본 구형의 단백질성 미세입자(proteinoid microspheres). 아미노산을 바닷물에 혼합해서 105℃로 가열하면 이렇게 구형의 입자가 생긴다. (B) 맥주를 만들거나 빵을 만드는데 이용되는 효모(yeast)의 모습. 단백질성 미세입자의 모습과 매우 유사하다.

3. 화석상 최초의 원핵세포: 박테리아

35억 년 전에 존재한 것으로 알려진 원핵세포인 박테리아(그림 4-2)는 어떠한 생명체였을까? 단적으로 이야기하면, 이 세포는 자유로이 운동을 하며 스스로 복제되어 증식하는 현재의 세포의 성질을 거의 다 갖는 생물학적 의미의 진정한 세포로, 그 구조 역시 코아세르베이트 덩어리나 단백질성 미세입자와 달리 아주 복잡하다. 그들은 주위에 많이 존재하는 탄수화물, 아미노산 및 기타 유기물을 자유로이 이용하는 종속영양균인 타가영양균(heterotrophs)으로 이미 존재하고 있었던 유기물을 이용하여 살아간다. 따라서 이들은 별로 복잡한 대사 메커니즘이 없었으리라 보고 있다(기생충을 생각해 보라). 한편 그 당시의 바다 및 대양 그 자체가 엄청난 '원시 수프'일 것을 상상해보면 이들은 아주 쉽게 영양분을 얻어 그들의 수를 증가시켰으며, 궁극적으로 일정한 영양분이 부족해질 때까지 증식하였을 것이다. 또 부족해지는 영양분에 대한 심한 경쟁이 있었을 것이며, 그러한 경쟁에서 살아남는 박테리아들만이 원시지구에서 계속적으로 살아남았을 것은 자명한 이치다. 그 기간은 적어도 수억 년은 걸렸을 것이다. 그러던 중 없어진 영양분을 얻기 위하여 그들은 스스로 그 물질을 만들어 내기 시작했는데, 이들이 바로 독립영양체인 자가영양균(autotrophs, 표 4-1)이다.

즉 초기지구의 환경은 산소가 거의 없었기 때문에 주로 혐기성 미생물만이 해당작용을 통해 적은 양의 에너지를 얻을 수 있었다. 이후 광합성세균의 출현으로 인한 지구상 대기 중의 산소의 증가는 산소를 이용하여 에너지를 만들어 내는 세균을 폭발적으로 증가시키면서 산소의 존재에 민감한 혐기성세균의 증식을 억제하는 방향으로 진화를 유도하였다. 이에 따른 생물의 생리적 대사(TCA cycle, PS_1, PS_2, 질소고정, 산소호흡)도 다양해졌다.

표 4-1. 광합성을 하는 자가영양균의 종류와 비교

특성	홍·녹색세균	시아노세균	홍조류	녹조류
광합성 장소	세포막	세포막	틸라코이드	틸라코이드
광합성계	PS1	PS1 & 2	PS1 & 2	PS1 & 2
환원제	H_2S/유기물	H_2O	H_2O	H_2O
광합성用 탄소출처	CO_2/유기물	CO_2	CO_2	CO_2

4. 지구상의 산소혁명(oxygen revolution)

자가영양균은 태양에너지와 이산화탄소를 이용하여 스스로 필요한 유기영양분을 만들어 낼 수 있는 보다 복잡한 광합성 세균인데, 대표적인 세균이 시아노세균(cyanobacteria, 그림 4-4)이다. 이 박테리아는 약 35억 년 전부터 얕은 바다(수심 약 10 미터)에 서식하면서 이산화탄소를 이용해 광합성 과정으로부터 산소를 만들어 내기 시작하였다. 이 박테리아가 석회 부착물과 퇴적층을 이룬 것이 스트로마톨라이트(*Stromatolite*, 그림 4-5)인데, 오늘날에도 서부 호주와 남아프리카에서 계속 만들어지고 있다. 이 정도의 깊이에서는 생물에게 해로운 자외선은 물에 흡수되어 생물에게 별 영향을 미치지 않는 것으로 알려져 있다. 이들이 광합성 작용의 산물로 만들어 내는 산소는 바다에 녹기 시작하였고, 긴 시간(약 10억 년 이상)을 통하여 녹은 산소는 바닷물에 포화되어 대기 중으로 분출되기 시작하면서 산소가 풍부한 대기를 출현시켰으며 이때가 약 20억 년쯤으로 추정하고 있다. 이것에 대한 과학적 증거는 바닷물에 녹은 산소가 철(iron)이온과 화합하여 산화철(Fe_3O_4)로 되는데 이 침전물이 만들어 놓은 거대한 철광상이 호주나 캐나다에서 발견되고 있다. 이들 철광맥의 지질학적 침전 연대가 약 20억 년 전의 것으로 자가영양균의 출현과 일치하고 있다는 사실로 증명되고 있다. 한편 이렇게 단세포 생물체인 박테리아에서 나온 산소는 환원성이었던 원시 지구대기를 바꾸어 놓았으며, 궁극적으로 오존층(O_3, ozone layer)을 형성해 지구 표면에 도달하는 해로운 자외선을 차단시키기 시작하면서부터, 지구의 조건은 과거와 달리 생물이 살기에 보다 더 적합한 곳으로 탈바꿈하기 시작했다는 것이 바로 지구의 '산소혁명(oxygen revolution)'에 대한 주된 내용이다.

그림 4-4 광합성세균인 시아노세균(cyanobacteria)

그림 4-5 호주 서부지역의 바닷가에서 발견되는 화석화된 스트로마톨라이트(Stromatolite)

5. 선캄브리아기(precambrian)의 대기진화

지구상의 나이로 약 45억 6,000만 년 전부터 현생이언(Phanerozoic Eon)이 시작된 5억 4,200만 년 전까지로 추정되는 선캄브리아기(Precambrian)의 존재는 이 시기에 존재하였던 진핵세포를 포함한 단순한 단세포 생물에 대한 화석 증거가 매우 미미하기 때문에 연구가 별반 안 되어 있다. 그 원인 중의 하나가 이 시대의 생물들은 세포구조 자체가 단세포 원생동물(protozoan)인 아메바나 짚신벌레(그림 4-6) 같은 작은 미생물로 부드러운 세포막으로만 구성되어 있기 때문에 퇴적하게 되게 쉽게 썩고 따라서 진흙 속에 흡수되어 버리기 때문에 그 모습이나 존재의 증거를 찾기가 힘들기 때문이다. 그렇지만 고생대(Paleozoic era)의 캄브리아기(Cambrian period, 표 4-2)에 가까워질수록 딱딱한 껍질을 가진 무척추생물의 존재가 그 시기의 퇴적층 화석증거로 확인되기 때문에 생물의 진화에 대한 증거는 점점 확실해져 간다.

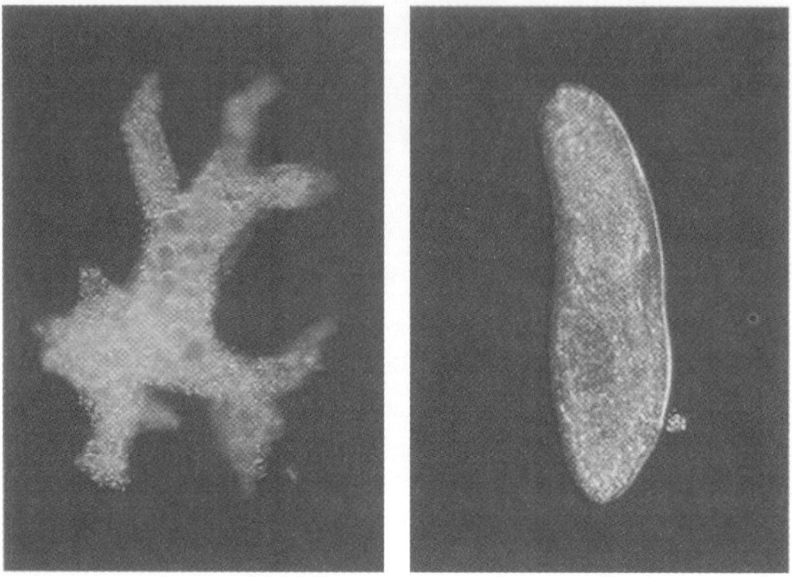

(A) (B)

그림 4-6 아메바(A)와 짚신벌레(B)

표 4-2. 지질시대 연대표

대	기	세	기후와 생물상	단위: (100만년)	
신생대	제4기	현재	역사시대		0
		홍적세	빙하시대 : 인류의 출현	2.5	
	제3기	플라이오세	영장류의 출현	7	50
		마이오세		26	
		올리고세	대부분의 현대적인 포유류의 나타남	38	
		에오세		54	100
		팔레오세		65	
중생대	백악기		개화식물의 번성 : 공룡의 멸종	136	150
	쥐라기		개화식물, 조류(새), 포유류의 등장, 공룡의 번성	190	200
	트라이아스기		파출류의 증가 : 종자식물이 번성함	225	
고생대	페름기		대부분의 현대적 곤충의 기원, 대부분의 고생대 생물의 멸종	280	250
	펜실베니아기		파충류의 기원 : 양서류의 번성	325	300
	미시시피기		육상식물의 번성	345	350
	데본기		진골어류의 번성 : 최초의 종자식물 : 최초의 양서류와 곤충	395	400
	실루리아기		최초의 육상식물	430	
	오르도비스기		최초의 척추동물	500	450 500
	캄브리아기		대부분의 무척추동물이 나타남	570	550
	선캄브리아기		원핵세포 다세포성의 진핵세포(조류)의 번성, 최초의 무척추동물이 나타남		600 650 700

그러나 이 시기의 생명의 진화에 있어서 생각해 봐야할 중요한 점은 지구의 원시대기의 성분이 변화하면서 보다 더 많은 생물들이 살아가기 적합하도록 변화하였다는 것이다. 즉, 광합성을 하는 박테리아에 의하여 만들어진 분자상의 산소가 대기 중에 축적하면서 마침내 그 산소분압이 현재치의 약 100분의 1인 2밀리바(millibar)가 되었다. 이 2밀리바의 산소분압은 '파스퇴르 점'이라고 불리며, 생물에게 있어서는 정말로 중요한 산소분압점이다. 파스퇴르 점에 도달하기까지 생물은 산소의 도움이 없이 당류를 분해하는 발효작용(해당작용)으로 필요한 활동 에너지를 얻고 있었다. 그러나 파스퇴르 점을 지나고 나서부터 생물은 산소분자를 이용한 호흡작용으로 당류를 분해하여 에너지를 대량으로 얻는 호흡을 시작한다. 무산소성 발효에서 호기성 호흡으로의 변천으로 생물의 세포는 단위시간에 이용할 수 있는 활동에너지인 ATP를 미토콘드리아(mitochondria, 그림 4-7)를 이용하여 일거에 18배 이상 증가시킬 수 있게 되었다.

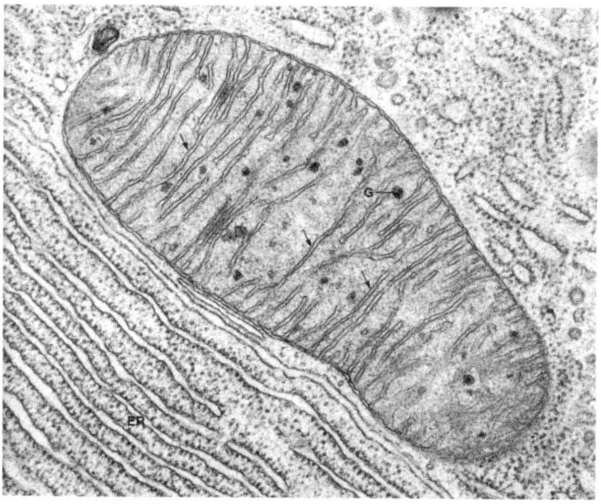

그림 4-7 미토콘드리아(mitochondria)

더욱이 대기 중에 증가되는 분자상의 산소로부터 오존이 만들어 졌다. 산소와 오존이 태양으로부터의 자외선을 보단 강력하게 차폐하여 생물에게 해로운 자외선은 얕은 물 바닥에도 도달할 수가 없게 되었다. 이로써 비약적으로 큰 활동에너지를 가진 생물이 나타나기 시작하였다. 이것은 지금부터 약 5억 4,000만 년 전인 캄브리아기(고생대 초기)에 시작된 소위 '캄브리아기 폭발'의 시대의 개막에 대응하는 것이다. 단적으로 말하면, 이 경우의 가장 중요한 지구 환경의 변화는 대기 중의 산소의 양이다. 약 22억 년 전 대기 중의 산소의 함량은 0.1%로 현재 산소의 함량(23.1%)의 1,000분의 1에도 미치지 못하였지만 19억 년 전에는 1.5%로 증가하였다(그림 4-8).

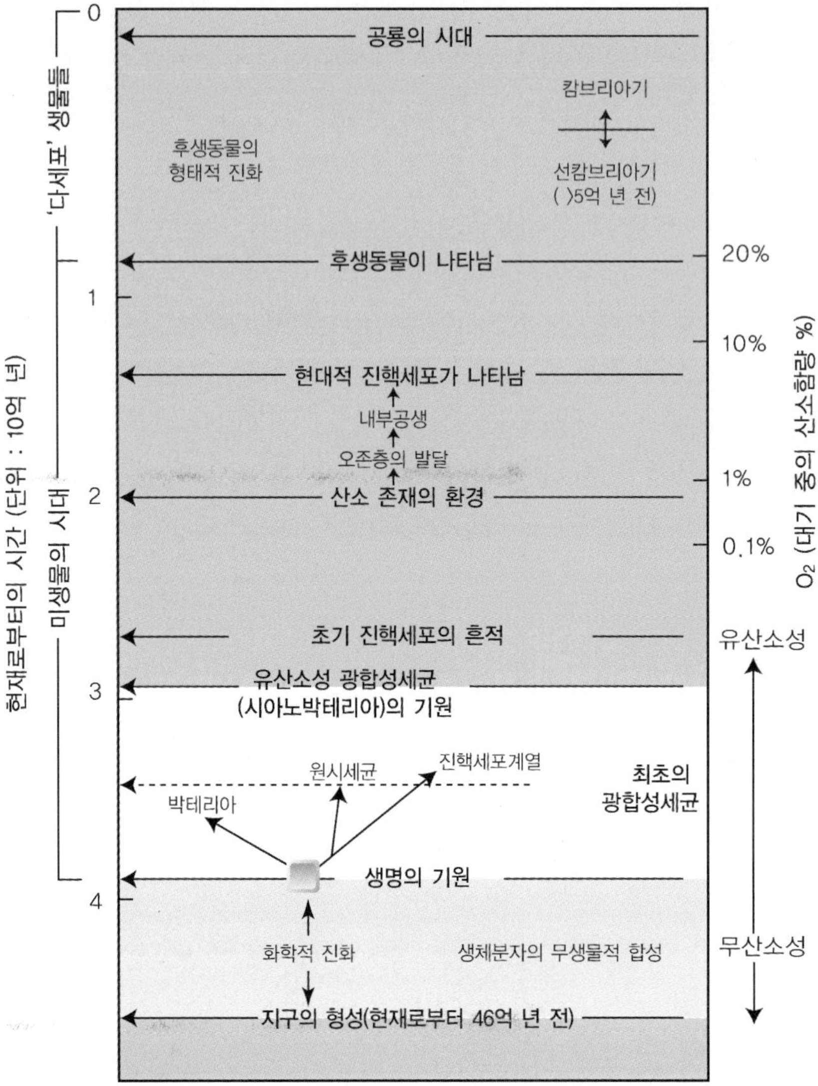

그림 4-8 지질연대에 따른 지구 대기 중의 산소의 함량 변화

또한 모두가 인정하는 사실은 생물의 진화에 있어 중요한 진전은 대기 중의 오존층 형성이라는 것이다. 대기 중에 오존층이 형성되면서 태양으로부터 오는 해로운 자외선(UV)이 오존(O_3, ozone)에 의해 흡수되는데 세포가 갖고 있는 유전자를 이루는 DNA가 특히 안정화되어 생물들은 안전하게 진화를 계속할 수 있게 되기 때문이다. 대기에 포함되어 있는 산소의 양이 2%를 넘어서면서 오존층이 형성되었다고 보는데 19억 년 전에는 오존층이 잘 형성되었을 것으로 보고 있다. 이러한 생명의 보호막인 오존층의 존재 하에서 산소가 풍부해진 지구 환경은 궁극적으로 수많은 생명체가 진화하고 번창할 수 만들어 주었다.

6. 최초의 진핵세포

초기 지구에 있어서의 세포의 진화 및 변화는 최초의 진핵세포의 출현에 대한 화석유물을 통한 직접적인 증거가 없기 때문에, 최초의 진핵세포가 어떠한 모습으로 존재했었는가는 참으로 말하기 어렵다. 그러나 진핵세포의 주요한 특징인 미토콘드리아와 엽록체에 대한 유전학적 연구 및 분자생물학적 연구를 통하여 이들이 원핵세포로부터 기인하였다는 것은 확실하다. 왜냐하면, (1) 그들의 크기가 대략 원핵세포의 크기를 갖으며, (2) 진핵세포의 분열과 관계없이 세포 내에서 자가복제하며, (3) 그 내부에 보통 세포처럼 반드시 생명의 연속성을 위하여 갖추어야 할 리보솜(ribosome) 같은 단백질 합성 기구를 갖고 있고, (4) 자체의 게놈(genome) 및 특수한 핵산을 함유하고 있다든지, (5) 핵막이 없다는 사실, (6) 그들의 유전자의 DNA 염기배열이 박테리아의 염기배열과 유사하다는 사실들이 이를 뒷받침 해주고 있다.

진핵세포에는 원핵세포와 달리 세포 크기의 약 10분의 1 정도 크기를 갖는 핵(nucleus)이 존재하는데 이 안에 DNA를 포함하는 염색체가 여러 개 존재한다(인간의 경우, 46개의 염색체가 있음). 진핵세포의 핵은 진핵세포가 미토콘드리아를 갖기 이전인 원시의 원핵세포에 나타나게 되었다. 흥미롭게도 이러한 미토콘드리아가 없이 달랑 핵만 갖고 있는 단세포 생물들이 아직도 존재하며 발견된다. 대표적으로 람블편모충(*Giardia lamblia*)이라고 하는 자라 모양인 인간의 십이지장(소장)에 기생하는 편모충(그림 4-9)을 들 수 있는데 크기가 매우 작으며 여러 개의 편모를 갖는 원생동물이다. 즉 현재에도 존재하는 이 생명체는 세포에 핵만 갖고 있는 원시 생명체라고 할 수 있다. 이러한 생명체의 존재는 영국의 톰 카발리에-스미스(Tom Cavalier-Smith, 1942~)같은 과학자에게 이 미토콘드리아를 갖지 않는 편모충이 생명체의 진화에 있어서 '잃어버린 연결 고리(missing link)'라고 주장할 만큼의 큰 증거가 되었다. 후에 다른 과학자들은 여러 가지 생화학 연구를 통하여 톰 카발리에-스미스의 주장이 옳은 것임을 증명하였는데 이러한 증거로부터 진핵세포에 핵이 먼저 출현하고 이 후에 미토콘드리아가 나타났다는 것을 확인할 수 있었다.

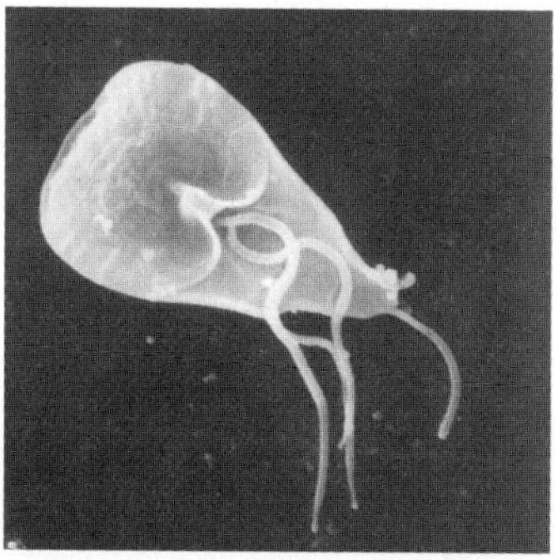

그림 4-9 람블편모충(Giardia lamblia)의 주사전자현미경(SEM) 사진.

오늘날 모든 지구상의 동물과 식물들은 많은 수의 진핵세포(eukaryotic cells)로 구성되어 있는데(인간의 경우 60조 개), 과연 진핵세포란 어떠한 것인가 알아보자. 진핵세포(그림 4-10)란 쉽게 말하면 원핵세포와 달리 세포 내 핵(nucleus)을 갖는 복잡한 구조의 세포를 말한다. 이 핵은 다시 핵막, 핵공, 핵인(nucleolus), 유전물질인 DNA를 갖는 염색체(혹은 염색사)로 구성되어 있다. 한편 동물세포인 경우, 원형질막(혹은 세포막)에 둘러싸인 세포는 핵과 콜로이드상의 세포질(cytoplasm)을 갖으며, 이 세포질 내 생명활동에 필요로 하는 많은 수의 중요한 세포 내 소기관(subcellular organelles)을 포함한다.

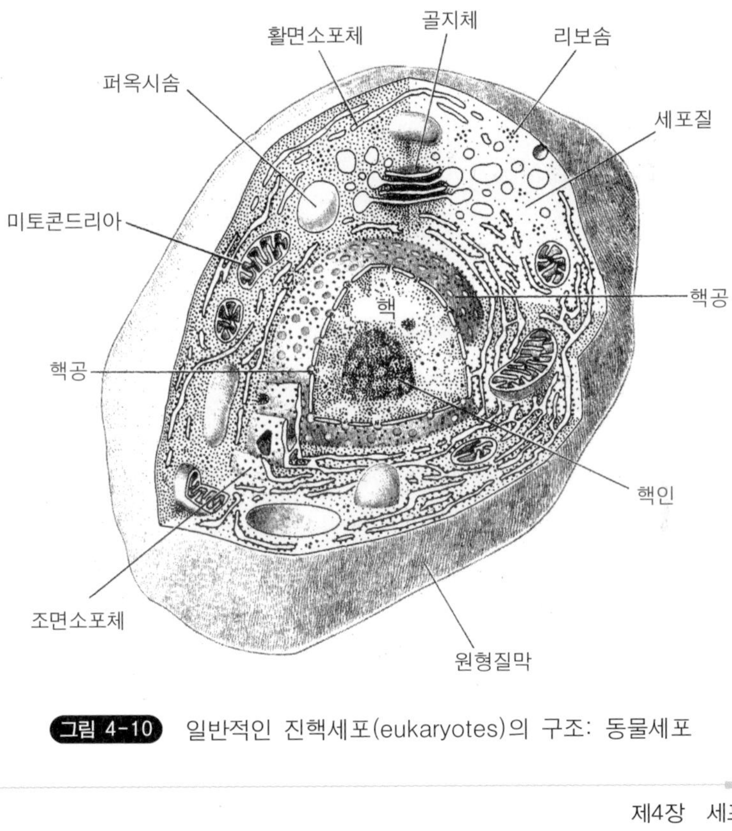

그림 4-10 일반적인 진핵세포(eukaryotes)의 구조: 동물세포

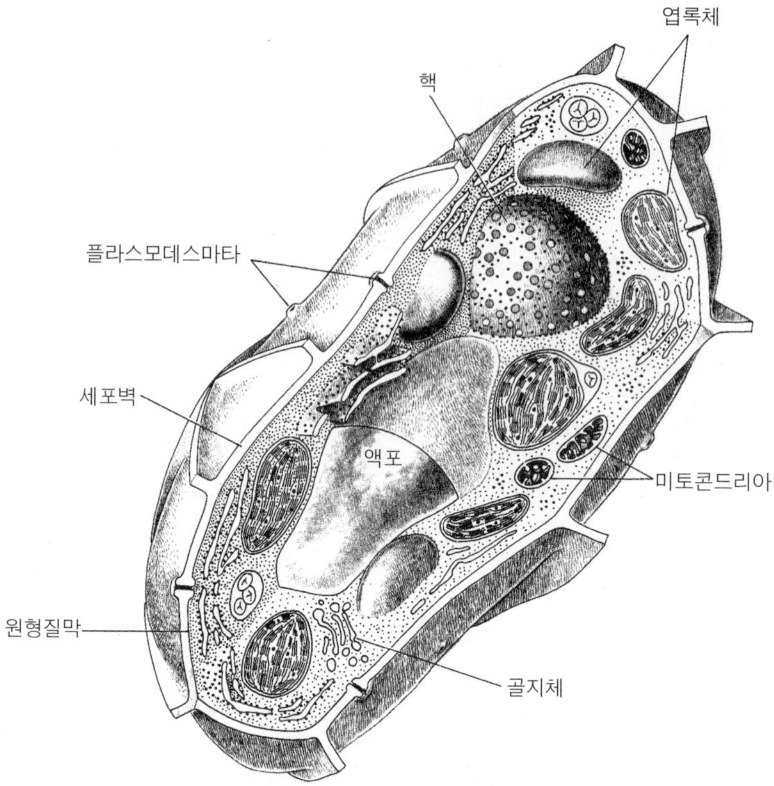

그림 4-11 식물세포의 구조

대표적인 세포 내 소기관이 에너지를 만들어 내는 화학공장인 미토콘드리아이며, 식물세포(그림 4-11)에게 있어서는 추가로 광합성을 통하여 화학영양분(탄수화물)을 만들어 내는 엽록체가 있다. 이 엽록체는 원래 광합성세균(cyanobacteria)이었는데 진핵세포와 공생하면서 식물세포를 만들었다고 보고 있다. 이 두 가지 세포내 소기관이 존재하는 이유로 내부공생설을 들고 있다. 또한 잘 알려진 소기관은 소포체(endoplasmic recticulum), 리보솜(ribosome), 골지체(Golgi apparatus), 리소솜(lysosome),

퍼옥시솜(peroxisome). 그리고 식물세포에만 있는 액포(vacuole) 등이 있다.

화석이 존재하는 최초의 진핵세포인 *Grypania spiralis*의 탄생은 지금으로부터 약 21억 년 전으로 보고 있는데, 이는 최초의 원핵세포가 화석상 나타난 지 대략 14억 년 후 이다. 생명체인 세포가 핵을 가지게 되었다는 것은 그 가운데 염색체를 가짐으로써 염색체에 있을 수 있는 많은 유전자가 존재하게 되었다는 것을 의미하며, 많은 유전자의 존재는 보다 더 복잡한 생명활동을 가능케 하는 것이며, 이로 인하여 계속해서 복잡한 구조를 갖는 고등생물이 만들어 질 수 있음을 의미하는 중대한 시작인 것이다. 식물세포의 경우, 이론상으로 12억 년 전부터 동물과 식물이 분기되었다고 보지만, 육지에서 식물의 눈부신 진화의 시작은 그것보다 훨씬 뒤인 고생대 중기인 실루리아기 즉, 지금으로부터 4억 1,900만 년 전쯤이다. 이 때 식물이면서도 잎이 존재하지 않는 작은 크기(약 4.5 cm)의 쿡소니아(*Cooksonia*) 같은 직립형 관다발 육지식물이 곤충인 절지동물과 화석으로 발견되는데 줄기에서 광합성을 하였다고 한다. 4억 년 전(데본기)에 비로소 진정한 관다발 식물로 양치식물(이끼)인 솔잎란(*Psilotum*, 그림 4-12)이 나타나는데 아직도 현존하며 우리나라에서는 남해안과 제주도에서 발견할 수 있다.

그림 4-12 솔잎란(*Psilotum nudum*)

7. 다세포 생물의 화석 증거들

고생대의 초기인 캄브리아기가 시작되면서 생물의 진화의 모습이 잘 이해되기 시작했다. 이것은 지금으로부터 약 5억 4,000 만 년 전의 사건으로, 이 시기가 되면서 삼엽충을 비롯한 많은 체계적으로 진화한 동물의 화석이 발견되고 있다. 그 이유는 이 시대의 많은 생물(동물)들이 단단한 껍질을 갖게 되었기 때문이다. 또한 캄브리아기보다 조금 앞선 시기 즉 약 5억 8,000 만 년 전의 화석 가운데 현재의 어떠한 동물군에도 속하지 않는 기묘한 체제를 갖는 동물들(에디아카라 생물군)이 발견되는데, 이것들은 2,000만 년~3,000만 년 정도 지구상 바다 속에 존재하였지만 진화의 과정에서 시행착오에 의해 실패작으로 도중에 멸종하였다고 생각되어진다.

가장 신빙성 있는 다세포성 생물의 화석 증거는 캐나다 북극 지방에 있는 Somerset 섬에서 발견한 '반기오모르파(*Bangiomorpha*)'라는 적조류 화석으로 지층의 지질 연대를 측정한 결과 12억 년 전에 존재한 것으로 이 미생물 세포는 유성생식을 하였다고 한다. 단세포 생물에서 진핵 다세포 생물로의 획기적인 진화는 로디니아(Rodinia) 초대륙(지구상에 10억 년 전에 생겨서 6억 년 전에 분열하였다고 여겨지는 대륙으로 판게아 대륙 이전에 존재함)이 형성된 이후 원생대 후기인 10억 년 전으로 보고 있는데, 주요한 이유로 유전물질을 교환하는 유성생식을 통하여 좀 더 크고 다양한 생물로 진화할 수 있었기 때문이다. 사실 배(胚, embryo)의 화석이 약 6억 년('캄브리아기 대폭발' 이전 시대임)된 중국의 지층 암석에서 발견되어 이러한 사실을 뒷받침해 주고 있다. 하지만 그 시대(선캄브리아기) 다세포 생물이 유성생식을 한다고 해서 다세포 생물의 다양한 진화가 촉진될 수 없었는데, 다세포 수준에서 육안으로 확인할 수 있을 정도의 개체 수준으로 이르기까지는 생물 종의 크기의 증가와 더불어 생물의 체내에 특정한 일을 수행할 수 있는 특정세포(예를 들면 포식자로부터 보호를 위한 세포들로 껍데기를 만드는)들이 역할을 해야만 하기 때문이었다. 이러한 문제점은 1974년 호주의 지질학자인 레그 스프리그스(Reg Spriggs, 1918~1994)가 호주대륙의 남부에 위치한 플린더스 체이스 국립공원 내의 에디아카라(Ediacara) 구릉지에서 약 5억 8,000만 년 전에 살았던 '에디아카라 생물군'으로 알려진 최초의 대형 동물화석(그림 4-13)을 발견함으로써 해결되기 시작하였다.

이 에디아카라 생물들은 모두 연체성 동물로 그 크기가 1 meter 정도인 나뭇잎처럼 생긴 카르니오디스쿠스(*Charniodiscus*)에서 말미잘 같은 3 cm의 크기를 갖는 에르니에타(*Ernieta*) 등 다양한 크기를 갖는다. 이들은 껍데기, 발, 이빨이 없어 동물이라고도 할 수 없고 바다에 사는 식물이라고도 할 수 없는 묘한 생물체들로 어디에 속하는 그 분류가 아직 정해지지 않았다. 이 발견의 중요한 의미는 껍질이 없는 생물화석이 발견된 것이라 볼 수 있다. 하지만 아프리카의 나미비아에서 5억 5,000만 년 전된 해양퇴적물에서 에디아카라 생물군과 비슷하지만 딱딱한 껍데기를 갖는 '클라우디나(*Cloudina*)'라는 최초의 동물화석이 발견되었다. 이 클라우디나는 그 후 여러 곳에서 발견되었는데 아이스크림 콘(cone)을 여러 개 겹쳐 놓은 모습을 하고 있으며 크기가 0.3~6.5 mm(직경) × 8~150 mm(길이) 이다. 즉 바다속의 동물이 딱딱한 껍질을 획득하는데 무려 3,000만 년의 시간이 소요되었다고 볼 수 있다.

그림 4-13 약 5억 8,000만 년 전에 살았던 '에디아카라 생물군'으로 잘 알려진 최초의 대형 동물화석. *Dikinsonia costata*의 화석임.

이러한 다세포 생물의 발달로 생물의 진화에 있어서 수많은 생명체(동물)가 갑자기 나타나게 되는 '생명의 폭발(explosion of life)'로 알려진 고생대 초기의 '캄브리아기 대폭발'이 궁극적으로 가능하게 되었다고 본다. 우리가 잘 알고 있는 징그럽게 생긴 삽엽충(*Trilobita*, 그림 4-14)은 고생대의 캄브리아기의 대표적인 화석 생물로 약 3억 년 간 바다에서 진화했던 동물로 지금 지구상에 수십 만 종이 넘는 절지동물(곤충같이 다리에 마디가 있는 동물)의 시조가 되었다. 이 삼엽충은 그 크기(몇 mm에서 수 십 cm)와 모양이 다양하며 단단한 껍질과 '눈(eye)'을 가지고 있었기 때문에 오래도록 생존하면서 진화해 갈 수 있었다고 한다. 한편 이 '캄브리아기 대폭발'때 나타난 먹장어를 닮은 초기의 척삭동물인 2 cm 정도의 크기인 밀로쿤밍기아(*Myllokunmingia*)는 인간을 포함하는 모든 척추동물들(어류, 양서류, 파충류, 조류, 포유류 등)의 시조가 되었다. 따라서 고생대 초기인 캄브리아기(5억 4,000만 년~4억 8,800만 년 전)에서 일어난 사건 즉 '캄브리아기 대폭발'을 통하여 갑자기 나타난 이 수수께끼 같은 진화를 통하여 현재 존재하는 100만 종 이상이 되는 동물들이 이 지구상에 존재한다는 과학자들의 일치된 의견이 있다.

그림 4-14 삼엽충(*Trilobita*)

8. 내부공생 가설(endosymbiosis hypothesis)

미국 매사추세츠대학교 앰허스트 캠퍼스(University of Massachusetts, Amherst)의 지구과학과 교수인 린 마걸리스(Lynn Margulis, 1938년~, 그림 4-15)는 1971년 그녀의 박사학위 논문에서 미토콘드리아는 원핵세포(세균)가 진화하는 중 진핵세포 내로 들어가 항구적인 공생관계를 유지하게 되었다는 충격적인 '내부공생 가설(endosymbiosis hypothesis)'을 발표하였다. 이 논문을 통하여 그녀는 호기성 세균이 미토콘드리아(mitochondria, 그림 4-7)가 없는 원시의 혐기성 원생동물(4. 6. 최초의 진핵세포 참고)에 들어가 공생하면서 진핵세포에 보다 많은 화학에너지인 ATP를 제공해 줌으로써, 진핵세포의 진화를 가속시켰다고 주장하였다. 1970년 이후 현재까지, 이러한 린 마걸리스의 '내부공생 가설'은 미토콘드리아를 반드시 갖고 있어야하는 진핵세포가 어떻게 지구상에 출현할 수 있는가에 대하여 가장 신빙성 있게 설명하고 있는 주요한 이론이다. 이 가설에 의하면, 진핵세포의 세포 내 소기관인 미토콘드리아는 오래 전에 독립적으로 생활을 하던 외부의 원핵세포(박테리아)가 숙주세포에 들어와 숙주세포와 기생이 아닌 공생(symbiosis)을 시작함으로써 존재하게 되었다고 한다(그림 4-16).

그림 4-15 린 마걸리스(Lynn Margulis)

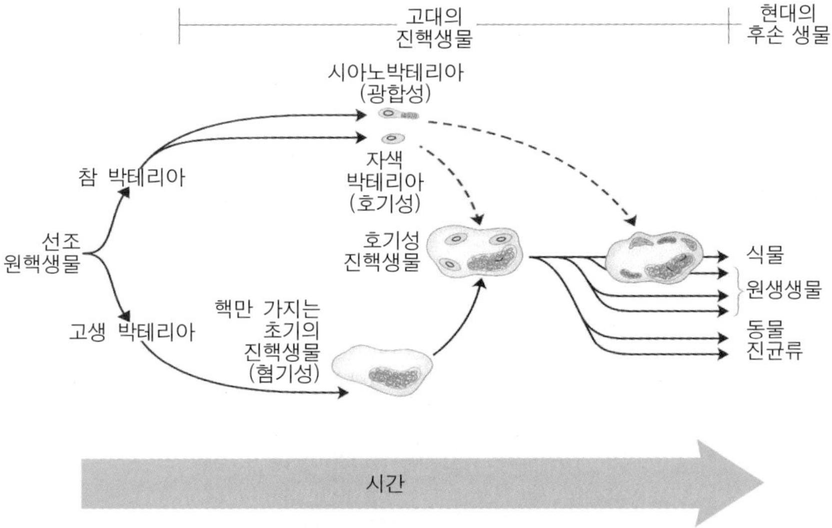

그림 4-16 내부공생 과정

또한 그녀는 미토콘드리아는 원래 태고의 호기성 박테리아(산소의 존재 하에서 살 수 있는 세균)에서 유래하였고, 식물세포의 엽록체(그림 4-17)는 광합성 세균인 시아노세균(cyanobacteria)이 공생하게 된 것으로 보았다. 이러한 미토콘드리아와 엽록체가 공생의 결과로 만들어진 것이 아닌가하는 생각은 오래 전부터 있었지만, 그녀는 생물학의 새로운 사실을 통합하여 더욱 확고히 하였다. 그 중에서 특히 분자생물학적 연구로부터 미토콘드리아와 엽록체가 세포의 핵에 있는 DNA와는 달리 각각 독자적인 환형의 DNA를 유전물질로 갖는다는 것과 이들의 DNA 구조가 원핵세포의 DNA와 똑같다는 특성은 주목할 만한 것이다. 한편 내부공생체가 된 미토콘드리아와 엽록체는 다음 같은 4가지의 공통적 특징을 갖고 있다. ① 외막과 내막의 2중 지질막 구조를 갖고 있다. ② 구조물 내 자체의 핵산인DNA와 RNA를 갖는다. ③ 세포분열과 상관없이 이분법으로 분열한다. ④ 생물이 이용하는 에너지인 ATP 생산(미토콘드리아)과 광합성을 통한 탄수화물의 생산(식물 세포의 엽록체) 등의 핵심적인 세포내 기능을 담당한다. ⑤ 둘 다 단백질 생산을 위한 리보솜을 독자적으로 갖고 있다. 이러한 특징은 원핵세포인 세균(박테리아)과 정확하게 같은 것이다.

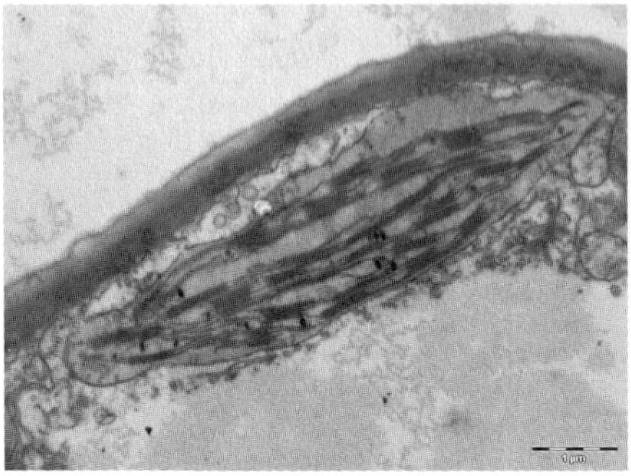

(A)

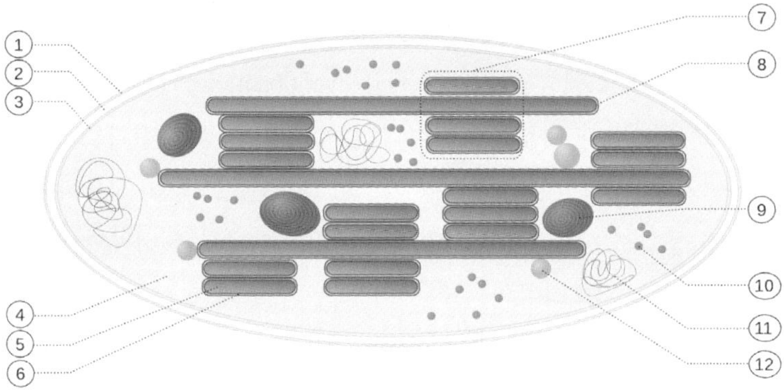

(B)

그림 4-17 엽록체(chloroplast). (A) 전자현미경 사진과 (B) 엽록체의 구조. ①외막, ②내막의 공간, ③내막, ④스트로마, ⑤틸라코이드 관강, ⑥틸라코이드 막, ⑦그라나(틸라코이드 적층), ⑧틸라코이드, ⑨전분(녹말) 과립, ⑩리보솜, ⑪엽록체 DNA, ⑫지질 과립.

이러한 사실을 종합해보면 린 마걸리스의 '내부공생 가설'은 앞으로도 계속될 원시세포의 진화 연구와 지구상 진핵세포의 출현에 대한 중요한 이론임을 알 수 있다. 한편 내부공생은 아니지만 진화과정 중 이러한 원시 지구에 존재하던 세포간의 공생관계는 '털 복숭이'이라는 의미를 갖고 있는 *Mixotricha paradoxa*에서도 발견된다. 이 원생동물이 갖고 있는 외부의 섬모는 약 25,000개로 이는 *Treponema spirochetes*이라는 세균이다. 이 세균은 과거 언제인가 스스로의 생존을 위하여 원생동물인 *Mixotricha paradoxa*의 외부에 붙어 섬모로 역할을 하며 이 생물체에게 새로운 기능인 운동성을 가져다주는 공생관계를 형성하였다고 본다. 또한 *Mixotricha paradoxa*는 앞서 제시한 람블편모충(4. 6. 최초의 진핵세포 참고)처럼 역시 미토콘드리아가 없기 때문에 세포 내부에 공 모양의 세균이 존재하면서 미토콘드리아의 기능을 대신하고 있다고 알려져 있다. 이러한 예는 앞서 **1. 7. '다세포 생물의 발달'**에서 이야기한 것처럼 위대한 과학자이자 진화론의 창시자인 찰스 다윈(Charles Darwin)의 생각인 "생물은 조금씩 다양화하며 진화한다."라는 주장에 매우 합당하다고 보고 있다. 즉 생명체는 시간이 흐름에 따라 조금씩 기능이 복잡해지고 다양해지면서 이 지구상에서 변화하는 환경에 맞추어 발달해 가며 생존해 왔다고 볼 수 있다. 다시 말하자면 진화과정에서 환경에 가장 잘 적응한 생물이 생존해서 자손을 낳아 살아갈 가능성이 높아 덜 적응한 생물에 비해 세대를 이어갈 확률이 높다는 다윈의 핵심개념인 '자연 선택(natural selection)'의 결과로 볼 수 있다. 현재 지구상에 존재하는 모든 생물(약 200만 종)들은 과거 수십억 년의 시간을 통하여 대부분의 생명체가 멸종해 가는 중에 살아남은 0.1%에 불과하다는 사실이 놀랍기만 하다. 다시 말해 99.9%에 해당하는 20억 종의 생명체는 이미 멸종해서 사라져버렸거나 화석 증거로만 존재한다.

제5장
생명 복제

1. 생명의 또 다른 기원 – 복제양 "돌리"

[프랑켄슈타인 박사(Dr. Frankenstein)를 기억하십니까? 프랑켄슈타인이 정말 있다면 현대판 모습은 어떻게 생겼을까요? 무서운 얼굴에 뿔이 달렸을까요? 아니면 외눈에 기다란 꼬리가 달렸을까요? 만약에 여러분이 양털 잠바를 입고 부드러운 목소리를 가진 영국 신사와 마주친다면 그가 바로 프랑켄슈타인 박사라는 것을 쉽게 알아차릴 수 있을까요?]

1997년에 생물학계는 물론 전세계를 경악시킨 사건이 있었다. 바로 복제양 "돌리(Dolly)"의 탄생이다. 현대판 프랑켄슈타인인 이 돌리를 탄생시킨 사람은 너무도 평범해 보이는 영국 신사인 이안 윌머트(Ian Wilmut) 박사였다. 윌머트 박사가 한 일은 놀랍게도 다 자란 암양(ewe)의 젖(udder)에서 떼어낸 세포를 그대로 재생시켜 암, 수의 결합, 즉 유성생식 과정 없이 건강한 양을 복제해낸 것이었다. 다시 말해 새끼는 어미의 자식인 동시에 어미 그 자신이라는 뜻이다. 실험 방법을 조금 더 구체적으로 살펴보면 먼저 6년생 양의 젖으로부터 복제할 세포를 떼어내어 핵(nucleus)을 분리하였다. 또 한편으로는 대리모(surrogate mother)가 될 양에서 미수정 난자(unfertilized egg)를 채취해 핵을 제거하였다. 이렇게 준비된 핵이 없는 미수정 난자에 세포에서 분리한 핵을 전기 충격을 주어 융합시켰고, 적절한 영양분을 제공하여 발생을 유도한 결과 세포를 제공한 어미 양과 똑같은 완벽한 복제품이 만들어진 것이다. 이러한 윌머트 박사의 실험을 핵이식기술, 또는 핵치환기술이라고 부른다.

그림 5-1 이안 윌머트 박사

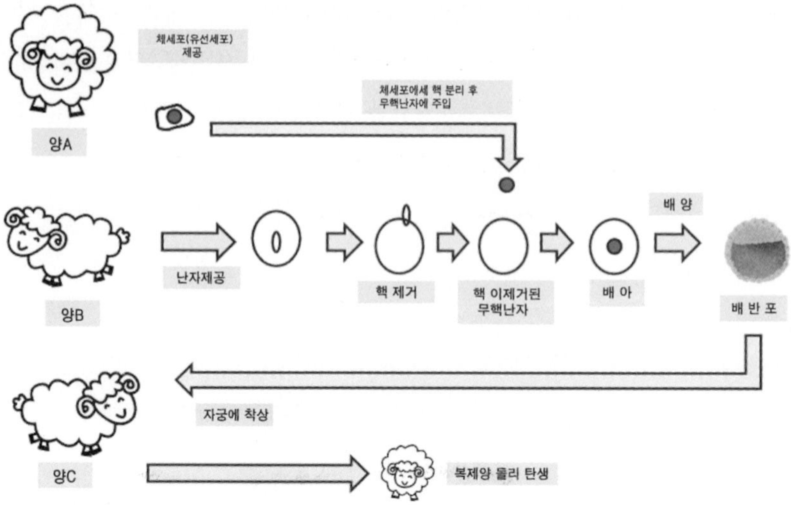

그림 5-2 윌머트 박사의 핵이식 실험

이렇게 탄생된 양을 윌머트 박사는 “돌리”라는 귀여운 이름으로 명명하였다. 그러나 이름과는 정반대로 돌리의 탄생은 지금까지의 생물학 이론을 순식간에 뒤집어 엎은 엄청난 사건이었다. 모든 생명체는 수정란이 세포분열하고, 그 분열된 세포들이 점차 분화(differentiation)하면서 개체로 성장한 결과 만들어지는 것이다. 일단 분화가 진행되어 특정한 조직으로 운명이 결정되면 거꾸로 수정란 상태로 되돌아가는 것은 불가능하다고 생물학계에서는 그동안 믿어 왔다. 즉 이미 어미 양의 젖샘세포로 분화한 세포의 핵을 꺼내어 개체(individual)를 복제하는 것은 절대로 불가능하다고 믿어 왔던 것이다. 물론 전에도 하등동물을 이용해서 비슷한 실험을 수행한 적은 있었다. 피부와 내장세포를 이용한 개구리의 복제실험이었는데 부분적으로는 성공해서 올챙이를 만드는데 성공했지만 변태(metamorphosis) 과정에서 대부분 죽고 말았다. 그나마 이것은 상대적으로 하등한 양서류의 예이고, 양이나 사람 같은 포유동물(mammals)에서는 아예 시도조차 불가능하다는 통념을 깨고 윌머트 박사가 성체에서 분리한 단 하나의 세포로 부터 "돌리"를 완벽하게 복제해 낸 것이다.

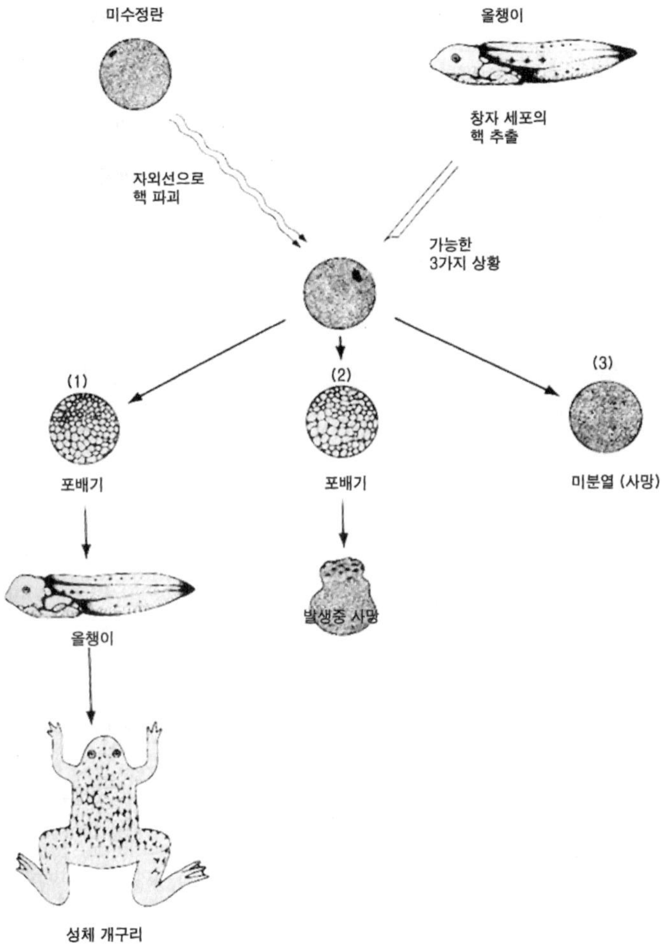

그림 5-3 개구리 복제 실험

돌리는 영국의 에딘버러(Edinburgh)에 위치한 로슬린 연구소(Roslin Institute)에서 출생하였다. 돌리를 복제하기 위해 윌머트 박사는 270번 이상의 실험을 되풀이했다고 전해진다. 이것은 곧 세상에 미처 알려지지 않은 기형이나 불구의 모습으로 태어난 새끼양도 부지기수였다는 말이다. 돌리 역시 태어나 처음 1년은 건강하였지만 이후에 빠르게 노화가 진행되어 결국 태어난 지 6년 여 만에 당뇨와 고혈압, 관절염 등 다양한 노화증상으로 고생하다가 사망하였다. 그러나 분명 돌리는 세포를 제공한 생물학적 어머니(biological mother)의 모습은 물론 유전자(gene)까지도 동일한 전세계에서 최초로 만들어진 실험실적 모조품이었다. 이후 양뿐만 아니라 소, 개, 돼지 등 다양한 동물들이 복제되었고, 심지어 쥐에서는 복제된 쥐를 다시 복제하는 실험도 성공하였다.

윌머트 박사의 연구가 사람들을 경악하게 만든 가장 큰 이유는 그 기술이 너무도 단순하다는 점이다. 이 말은 곧 숙련만 된다면 상업적으로 어렵지 않게 복제를 시도하게 될 것이라는 뜻이다. 뿐만 아니라 머지않아 사람까지도 복제하려는 시도가 이루어질 수 있다는 우려가 현실로 나타나고 있는 것이다. 생명복제는 지금껏 우리가 믿어왔던 것과는 전혀 다른 생명 창조의 방법이다. 또 다른 생명의 기원이 있다는 사실을 우리에게 알려준 윌머트 박사에게 노벨상을 주어야 할까 아니면 그를 감옥에 보내야 할까?

2. 생명복제의 장점과 문제점

동물의 유전자와 세포를 조작하고 응용하는 연구 분야를 발생공학(developmental engineering)이라 부른다. 포유동물의 복제는 발생공학에서도 가장 앞선 기술이기에 유전공학(genetic engineering)과 함께 다양한 분야에서 매우 유용하게 사용될 수 있을 것이다. 어떤 동물에게 유전자 조작을 가하여 유용한 형질을 가지도록 한 다음 수천 마리의 복제품을 손쉽게 만들 수 있기 때문이다. 멸종해 가는 동물들을 복제를 통해 보존할 수 있을 것이고, 농부들은 우수한 젖소를 복제해 더 많은 유유와 고기를 생산해 낼 수 있을 것이다. 양치는 사람들은 더 많은 털을 생산하는 양을 선택해 복제할 수 있을 것이며 한편으로는 유전자발현(gene expression)에 대한 해답을 주어 각종 질병들을 치료하기 위한 방안도 마련될 수 있을 것이다. 이렇게 유전자를 조작하여 유용한 형질을 가지게 된 동물을 형질전환동물이라고 한다.

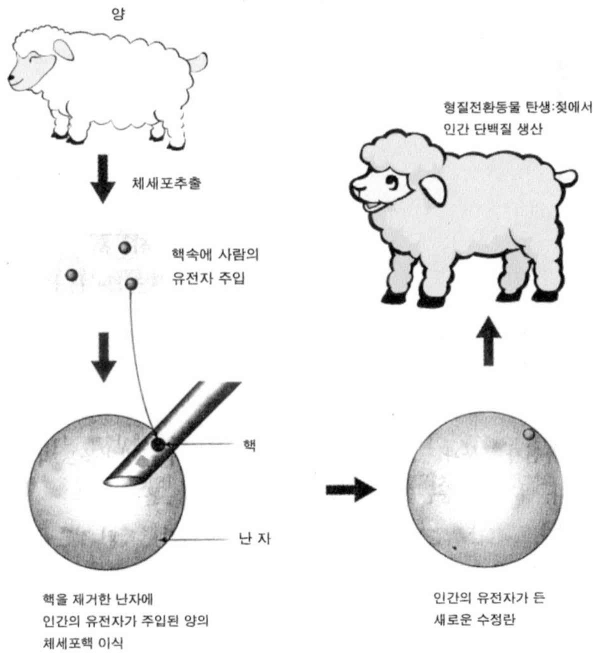

그림 5-4 형질전환동물을 만드는 방법

그런데 이렇게 유용한 기술을 두고서 왜 사람들은 두려워하는 것일까? 그것은 만에 하나 미친 사람이 이 기술을 잘못된 목적으로 사용할 것이 염려스럽기 때문이다. 이미 성급한 사람들 사이에서는 복제를 통한 부활과 처녀생식(parthenogenesis)에 대한 이야기가 나돌고 있으며 심지어는 인류 사회에서 남성이 더 이상 필요하지 않을 것이라는 우려가 나오고 있을 정도이다.

사실 성체를 그대로 복제하고자 하는 연구는 앞에서 밝힌 것처럼 돌리가 첫 번째는 아니었다. 많은 과학자들이 오랫동안 윌머트 박사가 했던 것과 같은 일들을 다양한 동물 모델에서 시도해왔기 때문이다. 1952년에 이미 배자세포(embryonic cell)를 이용해서 완전한 개구리를 발생시키는 실험이 성공한 적도 있다. 여기서 배자(embryo)란 수정 직후에 난할(cleavage)을 거듭하는 미분화세포의 집합체를 의미하는 말이다. 이렇게 배자세포는 분화가 덜 끝난 어린 세포기에 아직 무엇이 될 지 운명이 결정되지 않았다는 점에서 성체 세포와 큰 차이가 있다. 다시 말해 각 세포가 심장, 뇌, 근육, 피부 등 어느 것으로 변하게 될 것인지 운명이 결정되지 않았다는 뜻이다. 이렇게 미분화된 세포는 장차 신체의 어떤 부분으로라도 분화될 수 있기 때문에 복제 실험에 사용하게 되면 이론상 완벽한 성체가 될 수 있는 것이다. 반면에 성체의 세포를 이용한 복제 실험은 그동안 성공률이 매우 낮았고 개구리 복제에서도 올챙이까지 발생시키는 데에는 성공하였지만 결국 개구리로 변태하는 과정에서 죽고 말았다.

그러나 배자세포를 사용한 복제에도 단점은 있다. 기술적으로 비교적 용이한 반면 성체가 되었을 때의 모습을 미리 예측할 수 없기 때문이다. 즉 우수한 개체가 될 지, 열등한 개체가 될 지, 어떤 모습이 될 지를 전혀 알 수가 없다는 것이다. 그러나 성체에서 떼어 온 세포를 미분화 상태로 되돌려 복제할 때에는 그 복제품이 장차 어떤 모습일지 미리 알고 있다는 것이 제일 큰 장점이다. 돌리 이전까지는 거의 모든 과학자들이 일단 분화가 진행된 세포는 생물학적으로 다시 역반응을 할 수 없다고 생각해왔다. 돌리의 탄생은 이러한 과학자들의 생각이 틀렸다는 것을 단적으로 말해주는 증거일 뿐만 아니라, 분화된 세포의 복제가 그동안 어려웠던 이유는 생물학적 문제라기보다 단순히 기술적인 문제였었다는 것을 보여준 것이다.

그러면 윌머트 박사가 복제양 돌리를 성공시킬 수 있었던 기술적 비결은 무엇일까? 그것은 수면 상태의 핵을 얻는 조건과 전기충격이었다. 윌머트 박사는 먼저 어미양의 젖에서 떼어낸 세포를 일종의 가사 상태에 빠뜨리기 위해 약 1주일 동안 영양분을 고갈시켜서 배양하였다. 그 결과 세포는 깊은 수면 상태로 들어가 버렸고 여기에서 윌머트 박사는 핵만을 분리해 내었다. 한편 대리모의 미수정 난자에서 핵을 제거한 뒤 수면 중인 핵과 나란히 붙여 놓고 전기 충격을 몇 차례 가하였으며, 이로 인해 핵이 미수정 난자 속으로 빨려 들어가면서 새로운 세포분열이 시작되었다. 이렇게 난할을 시작한 난자는 대리모 양의 자궁(uterus)에 옮겨졌고 결국 돌리로 탄생한 것이다. 핵이식에 사용되는 기기를 마이크로인젝터(microinjector)라고 부른다.

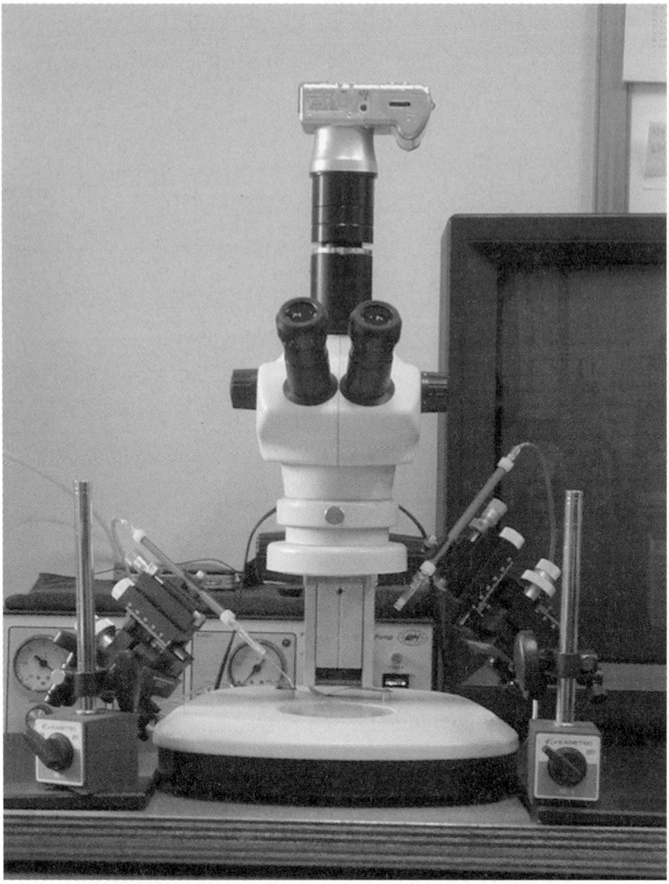

그림 5-5 핵이식에 사용되는 마이크로인젝터

포유동물인 양을 재료로 한 복제 실험이 세상에 알려지면 공포심과 두려움을 불러일으킬 수 있다는 점을 윌머트 박사 스스로도 잘 알고 있었다. 때문에 윌머트 박사는 실험과정에서 비밀을 유지하기 위해 연구팀의 인원을 네 명으로 제한하는 치밀함을 보이기도 했다. 결국 이들은 무려 277번이나 실험을 되풀이하였고 마침내 29개의 배자를 6일 이상

살리는 데 성공하였으며 그 중 끝까지 살아남은 단 하나가 바로 돌리였다. 로슬린 연구소의 발표가 있자 세포생물학자들은 이처럼 간단한 실험이 생물학의 가장 근본적인 지식을 뿌리채 뒤엎어 버린 사실에 경악하였다. 앞서 말한 바와 같이 대부분의 성체 세포는 배자기(embryonic stage)로 되돌아 갈 수 없기 때문이다. 윌머트 박사의 실험이 성공한 이유는 앞서 말했듯이 아마도 세포를 잠들게 한 뒤 급작스럽게 충격을 주어 세포분열을 유도하였기 때문이 아닌가 싶다. 아직은 그 숨은 원리를 채 이해하지 못하고 있지만 여하튼 이런 간단한 기술이 분화가 끝난 세포의 유전자인 DNA를 재구성시켰고 결국 모든 DNA를 잠에서 깨어나게 해 돌리를 탄생시킨 것이다.

3. 돌리와 그 후

가장 궁금한 것은 돌리의 건강이다. 돌리가 제 수명을 채우지 못하고 사망하였기 때문이다. 여기에서 중요한 점은 돌리를 복제한 세포가 6년생 암양으로부터 왔다는 사실이다. 만약 돌리의 사망 원인이 복제하기 전부터 DNA에 축적되어 있던 노화 때문이라면 적어도 복제를 통한 육체의 영생은 불가능할 것이다. 다시 말해 80세 노인의 세포를 이용한 복제는 겉모습만 아기일 뿐 태어나자마자 속으로는 이미 80세 만큼 늙어있다는 말이다. 그럼에도 불구하고 돌리 이후에 진행된 또 다른 복제 실험들에서는 동물들이 제 수명을 다하였기 때문에 돌리의 수명이 왜 짧았는지 그 원인을 정확히 가리기가 쉽지 않다. 물론 최초의 복제였기 때문에 기술이 다소 부족하여 핵치환(nuclear transfer) 과정에서 일부 DNA가 파손되었을 가능성도 있다.

4. 인간복제의 우려

로슬린 연구소에 있는 어느 누구도 이 기술을 응용하여 사람을 복제하겠다고 말하지 않는다. 게다가 비록 윌머트 박사가 성공은 했지만 포유동물을 복제하는 것은 여전히 기술적으로 어려운 일이 아닐 수 없다. 우선 한 사람을 복제하기 위해서는 엄청난 수의 대리모가 필요할 것이다. 양보다 사람은 더욱 진화되었고 복잡하기 때문에 아마 수천 번의 실험과 수천 명의 대리모, 그리고 수만 개의 난자가 필요할지도 모른다. 복제기술은 사용하기에 따라 대단히 유용할 수도 있지만 잘못하면 인류를 멸망시킬 수도 있다. 이 기술이 보편화되기 전에 적절한 규제와 방안이 마련되어야 할 것은 물론이고 과학자들은 스스로의 윤리와 양심에 비추어 인류의 복지와 진화에 기여할 수 있는 방향을 모색하여야 할 것이다.

5. 인간복제 - 무엇이 문제인가?

> [이른 아침부터 어떤 부부가 병원에 와서 혹시나 자신들의 여섯 살 짜리 딸을 복제할 수 있을까 궁금해 하고 있었다. 불쌍하게도 이 어린이는 백혈병(leukemia)에 걸려 죽어가고 있었고 유일한 희망은 골수(bone marrow)를 제공해 줄 기증자(donor)를 찾는 것이었다. 발생유전학적인 측면에서 볼 때 이상적인 기증자는 이 어린이와 유전자가 동일한 일란성쌍둥이일 것이다. 그러나 이 어린이에게는 쌍둥이 형제가 없었기에 부모들은 아이를 살리기 위해 짧은 시간 안에 복제 인간을 만들고 싶은 것이었다]

수 년 전만 해도 이런 이야기는 도저히 있을 수 없는 것처럼 여겨졌지만 이제는 더 이상 먼 훗날의 이야기로 묵과할 수만은 없게 되었다. 이미 윌머트 박사에 의해 성체 세포의 핵을 미수정 난자로 이식하여 복제하는 방법이 개발되었고 "돌리"라는 양이 성공적으로 출산되었기 때문이다. 돌리 자체는 평범하게 보이는 양 한 마리에 지나지 않는다. 그러나 돌리의 탄생으로 말미암아 그동안 굳게 믿었던 기초 생물학의 뿌리가 송두리째 흔들렸고 그 여파는 과학적 차원을 넘어 이미 사회적, 철학적 문제로까지 치닫고 있다. 우리는 지금 이 새로운 기술을 놓고 앞으로 어떻게 조절하고 통제해야 하는 지, 아니면 더욱 적극적으로 지원해야 할 것인지 딜레마에 빠져 있는 것이다.

인간복제의 가능성이 현실로 나타나면서 그동안 덮어 두었던 여러 가지 문제들이 제기되고 있다. 복제된 인간 속에서 "나"라는 개인을 어떻게 정의해야 할 것인가? 임신의 의미는 무엇인가? 생식은 새로운 인간을 찍어내기 위한 행위에 불과한 것인가? 남성은 과연 필요한 존재인가? 무한정 복제가 가능하다면 과연 사람의 가치도 벌이나 개미같이 하찮을 것인가? 등등이다.

인간복제에 대한 전 세계의 반응도 지금은 매우 회의적이고 냉담한 편이다. 이미 미국 국립보건원(NIH)은 "인간복제는 있을 수 없는 일"이라고 한마디로 일축하였고 유럽에서도 "인간복제는 생각할 수도, 허용할 수도 없는 일"이라는 대답이 나왔다. 그러나 문제는 이런 공식적인 입장들에도 불구하고 일부 미친 사람들이 자기 자신을 복제하고 싶어할 지도 모른다는 것이 문제이다. 누가 생각해도 사람을 복제하는 일은 사회적으로나 윤리적으로 분명히 있을 수 없는 범죄 행위이다. 더구나 사람이 실험 재료로 사용되어서는 더더욱 안 될 일 아닌가?

그런데도 재미있는 것은 과학자들 사이에서 찬성과 반대 의견이 분분하다는 사실이다. 냉철하게 생각해 보면 이 기술이 과연 새로운 것일까 하는 의문이 생기기 때문이다. 윌머트 박사의 기법은 시험관 수정(*in vitro* fertilization)과 크게 다를 바 없으며 그렇다면 다른 유전자 재조합 기술들과도 윤리적 문제에서 차이가 없다는 것이다.

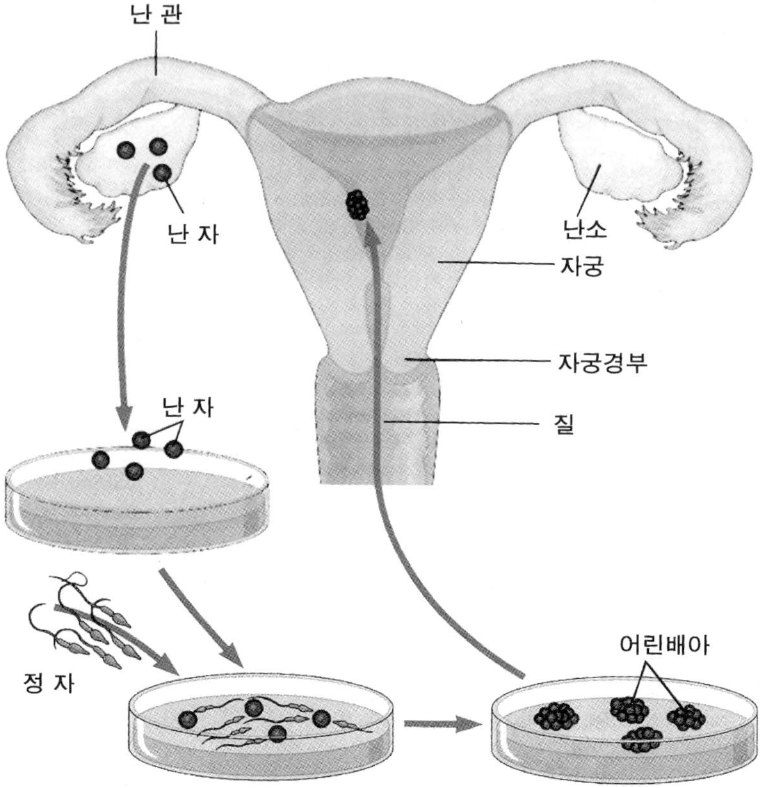

그림 5-6 시험관 수정 기술

궤변 같지만 우리가 이 사실을 인정한다면 인간복제를 수용하지 못할 이유가 없어지는 것이다. 아무도 단순히 신체 장기를 이식하기 위해 복제인간을 만들지는 않을 것이다. 다시 말해 죽이기 위해 인간을 탄생시키지는 않는다는 것이다. 그러나 어떤 가족이 죽어가는 첫 번째 아이를 너무도 사랑해서 골수나 신장(kidney)과 같이 생명과는 상관이 없는 장기를 이식하기 위해 두 번째 아이를 복제해 키우겠다고 하면 그때는 반박하기가 매우 어려울 것이다. 아인슈타인을 복제할 수 있다면 그것 역시 인류에게 매우 유용하지 않겠는가 말이다.

결국 가장 중요한 문제는 우리 마음 속에 있는 것 같다. 어떤 질문에는 "예"라고 대답하고 또 다른 질문에는 "아니오"라고 대답하는 이중잣대를 가지고 있는 한 이 문제는 영원히 해결하기 어려울 것이다. 첫 번째 아이가 죽어가고 있을 때 이를 살릴 수 있는 복제기술이 있다면 누가 두 번째 아이를 복제하지 못하게 제어할 수 있겠는가? 그러나 만약 복제된 두 번째 아이가 장기만을 기증한 채 부모의 사랑을 받지 못한다면 이 또한 어떻게 해결할 것인가?

과학의 발전은 이미 넘어서는 안 될 선에까지 와 있는 것 같다. 정부가 인간복제를 금지시킬지라도 정부로 부터 보조를 받지 않고 자비로 연구를 수행한다면 이를 금지하기 매우 어려울 것이다. 지금은 예전에 공상과학소설에서나 볼 수 있었던 일들이 현실로 나타나는 시대다. 누군가가 이미 비밀스럽게 인간복제를 시도하고 있는 지도 알 수 없는 일이다. 시험관 수정을 연구했던 과학자들도 처음에는 비난을 받았고 때문에 비밀스럽게 연구를 수행할 수밖에 없었다. 아마도 인간복제 기술을 연구하려는 사람이 있다면 이와 마찬가지로 비밀스럽게 연구를 진행하고 있을 것이다. 그리고 성공했을 때에야 비로서 세상에 발표할 것이다.

생물학이 워낙 빠르게 발전하기에 과학자들 조차도 앞으로 무슨 일이 일어날 지 쉽사리 대답하지 못하고 있다. 때문에 사람들은 더욱 더 큰 불안과 공포를 느낄 수밖에 없는 것이다. 어떤 이들은 첫 번째 인간 복제가 10년 안에 이루어질 것이라고 말하기도 한다. 이것이 사실이라면 과학자들은 부지런히 윤리적 문제를 해결할 방안을 마련해야 할 것이다. 현대과학의 발전 속도로 볼 때 10년은 곧 내일이 될 수도 있기 때문이다.

6. 정신도 복제할 수 있는가?

돌리의 탄생은 실로 전세계가 경악할만한 사건이었다. 그러나 여기서 우리가 분명히 할 것은 돌리의 복제는 유전자의 복제만을 의미한다는 점이다. 즉 육체의 복제만을 말하는 것이다. 그렇다면 과연 정신세계도 복제할 수 있는 것일까? 즉 지성, 감성, 개성 등도 유전자에 의해 선천적으로 조절되는가?

인간은 살아가면서 많은 사람들과 부딪치며 관계를 맺고 그 가운데에서 형성된 인생 경험을 토대로 생활하고 있다. 이러한 환경적 요소는 인간생활에서 절대로 무시할 수 없는 것이며 각자의 개성을 형성시켜주기 때문에 어떻게 보면 유전적 요소보다도 더 중요하게 보일 수 있다. 돌리의 탄생 이후 많은 사람들이 유전자를 복제하면 마치 영혼까지도 그대로 복사할 수 있는 것처럼 떠들어대고 있다. 유전자를 복제하면 정말 영혼까지도 복제할 수 있는 것일까?

한마디로 이에 대한 대답은 없다. 유전 요소를 강조하는 사람들은 유전적 인자가 환경적인 면보다 훨씬 영향력이 강해서 각자의 행동과 감성을 지배하여 서로의 개성이 다르도록 만든다고 주장한다. 반면에 환경 요소를 강조하는 사람들은 주위의 환경이 유전적 요소를 우선한다는 논리를 편다. 분명하지는 않지만 한 인간이 형성되기 위해서는 결국 유전과 환경 두 가지가 모두 필요하지 않을까? 물론 "과거의 경험들을 어떻게 복제할 것인가?" 등의 질문은 앞으로도 계속 연구해야 하겠지만 근본적으로는 당신과 당신의 복제품은 같을 수밖에 없을 것이다.

7. 제리 홀 박사의 클로닝 실험

1995년에 일란성 쌍둥이를 시험관에서 복제할 수 있다는 연구 결과가 발표되어 인류 사회를 발칵 뒤흔들어 놓았다. 이 연구의 장본인은 조지 워싱턴 대학(George Washington University)의 제리 홀(Jerry Hall) 박사였는데 홀 박사 자신도 단순히 효율적인 시험관 수정법을 개발하려 했을 뿐 그 결과가 이렇게 엄청날 줄은 몰랐다고 이야기하고 있다. 문제는 실험의 재료가 사람의 배자였다는 것이고 이 사실만으로도 세인들의 지탄을 받기에 충분한 것이었다.

홀 박사의 실험기법은 복제양 돌리에게 적용된 것과는 크게 다른 것이었다. 돌리의 경우는 성체를 그대로 복제했기 때문에 암, 수의 유전적 결합이 필요 없었지만 홀 박사의 연구는 적어도 정자(sperm)와 난자(ovum)의 수정을 전제로 하였기 때문이다. 배자세포는 미분화세포로서 포유동물에서는 수정란이 8개의 세포로 나누어질 때까지 계속하여 미분화상태를 유지한다. 따라서 이들을 인공적으로 분리할 수만 있다면 대리모 자궁에 각각을 착상시켜 이론상 여덟 명의 일란성 쌍둥이를 동시에 얻을 수 있을 것이다. 이 원리는 수정란이 어머니 자궁 속에서 난할하다가 자연적으로 분리되어 일란성 쌍둥이가 만들어지는 것과 똑같은 것이다. 이처럼 여러 개의 수정란을 동시에 만들어내는 기술을 클로닝(cloning)이라고 한다. 원래 클로닝은 동일한 것을 유전공학적으로 대량 생산한다는 의미이다. 홀 박사 팀의 연구가 문제시된 이유는 이렇게 미분화된 사람의 배자세포들을 시험관에서 인위적으로 분리해 떼어내는 데 성공하였기 때문이다. 제리 홀 박사의 연구방법을 수정란 분할법이라 한다.

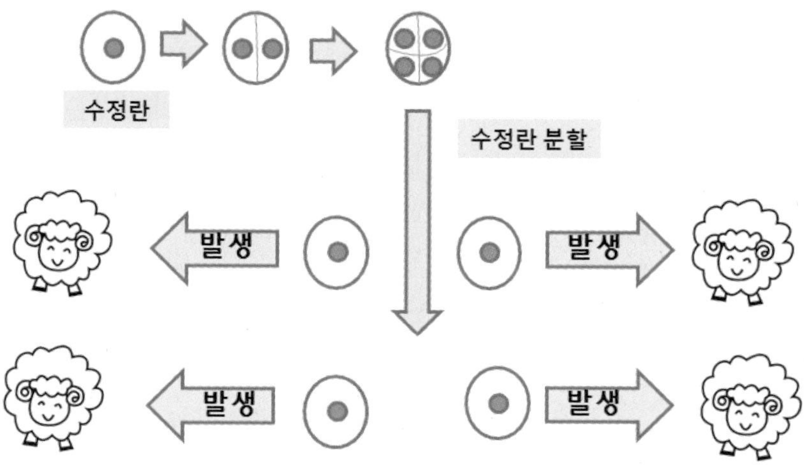

그림 5-7 수정란 분할법

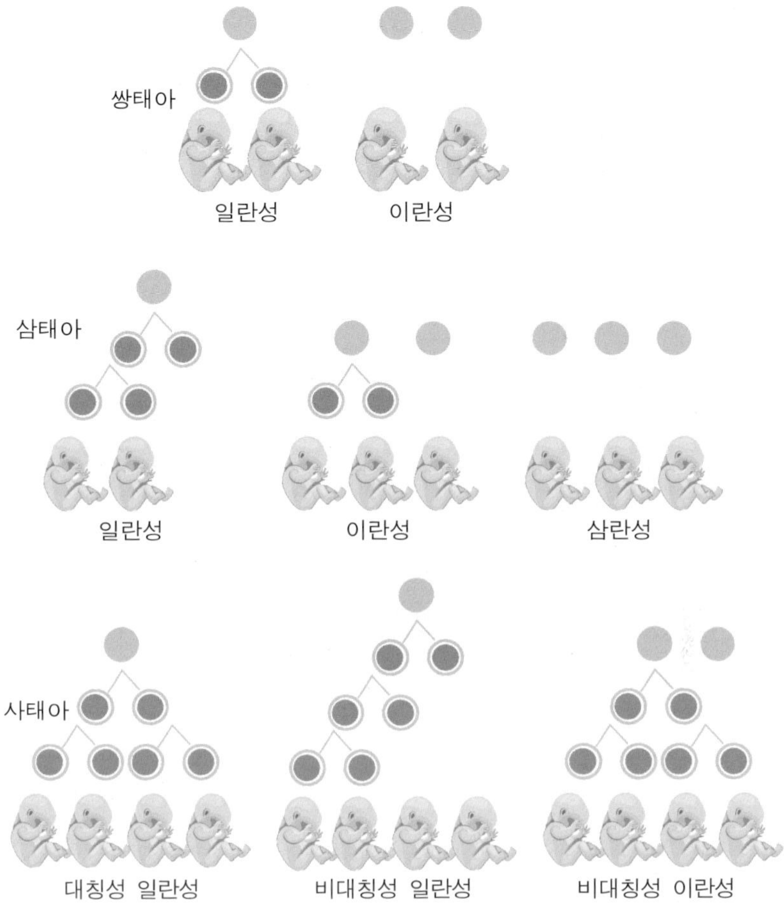

그림 5-8 쌍둥이가 만들어지는 과정

그러면 홀 박사는 왜 이런 실험을 감행했을까 ? 똑같은 사람을 실험실에서 많이 탄생시켜 군대를 만들고 세계를 지배하기 위해서였을까? 물론 아니다. 홀 박사의 관심은 단순히 시험관 수정의 효율을 높여서 불임부부들이 임신할 수 있는 가능성을 높여주자는 것이었다. 불임시술의 성공률은 여성에게서 채취하는 난자 수에 따라 40% 까지 올라갈 수 있다. 그러나 만약에 난자가 하나밖에 없는 상황이라면 성공율은 10% 이하로 뚝 떨어지게 된다. 때문에 수정란 하나를 이용하여 여러 개의 똑같은 배자를 복제해낼 수 있다면 임신 성공률은 훨씬 올라갈 터이니 불임부부에게 당연히 획기적인 복음일 수밖에 없다. 홀 박사의 연구에서 가장 중요한 부분은 배자세포를 따로 따로 분리해냈을 뿐만 아니라 인공 투명대(zona pellucida)를 만든 것이다. 투명대란 배자를 둘러싸고 있는 물질인데 배자세포들은 이 안에 갇힌 채로 서로 붙어서 세포분열을 한다. 따라서 투명대를 제거하면 세포들은 모두 분리되어 버리고 만다. 홀 박사는 바로 이 투명대를 제거하는데 성공하였고 동시에 인공 투명대를 만드는 데에도 성공했던 것이다. 그러나 인공 투명대로 둘러싸인 배자세포가 자궁에 정상적으로 착상할 수 있을 지 여부는 실험하지 않았다 [책에서는 수정란이 세포분열을 한다고 표현하고 있지만 실제로는 세포분열이 아닌 난할을 겪는다. 세포분열은 모세포와 딸세포의 모양과 크기가 모두 똑같은 것이지만, 수정란이 나뉘는 과정은 점점 크기가 작아지는 단순한 난할인 것이다. 난할이 일어나는 이유는 투명대 안에서 세포가 분열하기 때문에 더 이상 커질 공간이 없기 때문이다].

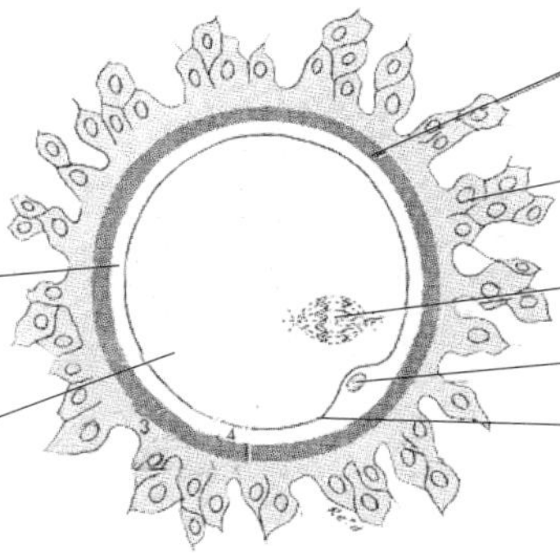

그림 5-9 난할 중인 수정란과 투명대

홀 박사 역시 사람의 배자를 실험용으로 사용할 때 야기될 윤리적 문제를 전혀 예상하지 못한 것은 아니었다. 따라서 이를 피하기 위해 홀 박사는 두 개의 정자가 수정을 한 비정상적인 배자를 실험에 사용하였다. 이런 비정상적인 수정란은 정상적인 사람의 염색체(chromosome) 수가 46인데 비해 69개로 불균형하기 때문에 어차피 죽을 수밖에 없는 수정란이다. 실제로 홀 박사의 실험에 이용된 배자들은 6일 이내에 모두 죽은 것으로 알려져 있다. 법규상으로는 인간의 배자를 가지고 14일 이상 발생 연구하는 것은 금지되어있다.

문제는 홀 박사의 연구 결과가 처음 목적과 달리 잘못 이용될 가능성이 있다는 것이다. 어떤 부부가 시험관 수정에 성공하였고 인위적으로 분리한 두 개의 배자 중 한 개만 사용한 채 다른 하나를 냉동 보관했다고 하자. 몇 년이 지난 뒤 이 부부는 첫 번째 아이가 과연 만족할 만한 아이였는가를 확인하고 나서 보관된 또 하나를 녹여 사용할 것을 결정하려 할 것이다. 동일한 시간에 수정된, 그러나 다른 시기에 발생된 두 아이의 나이 차는 장차 어떻게 극복할 것인가? 첫 번째 아이가 만약 치명적인 질환에 걸려 장기 이식이 필요하다면 두 번째 아이가 장기 기증을 위해 사용될 가능성을 누가 배제할 것인가? 또는 이런 경우 둘 중의 어느 아이가 희생되어야 할 지를 누가 결정할 수 있을 것인가? 심지어는 두 개의 분리된 수정란 중 먼저 태어난 아이가 결혼을 했는데 아내가 난소(ovary)에 이상이 있어 아이를 가질 수 없는 경우 자기 어머니가 옛날에 냉동 보관시켰던 또 다른 자기를 아내에게 착상시킬지도 모르는 일이다. 이렇게 되면 남편은 결국 자기 자신을 아들로 가지게 되고 마는 셈이다. 첫째 아이가 자라서 키가 부쩍 크고 훌륭한 농구선수가 되어 많은 돈을 벌어들이게 된다면 냉동했던 또 다른 수정란이 암시장에서 거래될 지도 모르는 일이다. 초등학교 1학년 여자아이가 얼마나 예쁘고 귀여우며 똑똑한 지 보여주는 사진과 함께 이 아이의 또 다른 냉동 수정란이 있다고 신문에 광고하면 어떤 일이 벌어질까? 물론 부모들이 이런 짓을 한다는 것은 도덕적으로 있을 수 없지만 사람이란 돈을 위해서는 무슨 일이든지 한다는 것을 우리가 또한 잘 알고 있지 않은가 말이다. 심지어는 병원에서 충분한 숫자만큼 복제를 한 다음 또 다른 불임부부에게 하나 주어버릴지도 모르는 일이다. 암시장이 형성될 것이 분명하며 더 좋은 수정란을 구하려는 경쟁이 생길 것은 물론 인종간에 우생학적 문제(eugenic problem) 역시 제기될 것이 우려된다.

바로 이런 우려 때문에 우리는 이 시점에서 적절한 규제를 필요로 하고 있는 것이다. 인간복제는 그 파괴력에서 핵폭탄과 비교할만하다. 과학의 발전은 자연스러운 것이기에 막을 수도 없고 또한 막아서도 안 될 것이다. 문제는 우리가 이 기술을 어떻게 사용할 것인가 하는 것이다. 이는 전적으로 인류의 양심과 도덕성에 달려있기 때문이다.

그림 5-10 발생생물학 실험실의 모습

8. 유전이냐 환경이냐

사람을 마음대로 복제할 수 있는 시대가 온다고 가정해 보자. 복제인간들은 겉보기에 모두 똑같을 것이다. 그러나 정말로 이 사람들이 마음까지도 똑 같을까? 어느 정도는 필연적으로 동일하겠지만 전적으로 그렇지는 않을 것 같다. 과거 백여 년 간 발생유전학자들이 궁금해 한 것은 사람의 개성이 발달하는 데 가장 중요한 요소가 무엇일까 하는 문제였다. 즉, 유전이냐 환경이냐 하는 문제이다. 이를 연구하는 가장 좋은 방법은 태어나자마자 완전히 따로 양육된 일란성 쌍둥이들의 행동 변화를 관찰하는 것이다. 일란성 쌍둥이의 유전자는 마치 복제된 인간들처럼 똑같기 때문이다. 미국의 한 대학에서 실시한 실험에서 두 가지 상반된 재미있는 예를 다음에 소개하기로 한다.

첫째, 짐 스프링거(Jim Springer)와 짐 루이스(Jim Lewis)는 1939년에 출생하자마자 헤어졌으며 39년이 지난 후에야 다시 만날 수 있었다. 지금은 모두 결혼하였지만 흥미롭게도 둘 다 린다(Linda)라는 이름의 여성과 한 번씩 이혼한 전력을 가지고 있었다. 지금 아내의 이름은 모두 베티(Betty)였고, 놀랍게도 이들의 장남은 각각 제임스 알란(James Allan)과 제임스 앨런(James Alan)이었다. 이 두 사람의 차는 같은 회사의 같은 모델이었으며, 둘이 다 취미가 목공일이었다. 심지어는 이들이 키우는 개의 이름도 모두 토이(Toy)였다. 사실 이 예는 놀랍게도 일치하는 면이 너무 많아서 아무리 유전자가 같은 일란성 쌍둥이라 할 지라도 유전자에 의해 모두 결정되었다기 보다 어떤 일들은 그저 지나친 우연의 일치 때문일 것이다. 그러나 여하튼 이 사실은 쌍둥이들의 근본적인 성격이나 개성이 양육과정과 크게 상관없음을 보여주는 증거인 것이다. 그동안 미국 미네소타 대학(University of Minnesota)에서 연구한 보고에 따르면 지도력, 상상력, 스트레스 등은 유전에 주로 기인하는 것으로 확인되었다. 반면에 공격성, 성취감, 질서의식, 사회적응력 등은 오히려 환경에 기인하는 것처럼 보인다. 두 번째 예는 음악을 싫어하는 집과 음악가의 집에 각각 입양된 일란성 쌍둥이에 대한 보고이다. 전자는 자라서 오히려 피아니스트가 되었고, 후자는 아예 건반조차도 보기 싫어하였다고 보고되어 있다. 일란성 쌍둥이에 대한 보고들을 종합하면 유전은 아마도 발생 초기의 프로그램을 지배하고 환경은 후천적 성향을 조절하는 것처럼 보인다. 그러나 인생 경험이란 모든 사람에게 독특할 수밖에 없는데 이런 것들이야말로 정작 우리의 정신 세계를 발달시켜 주는 것이 아닐까?

제6장 미토콘드리아 이브

백만년도 더 된 아주 옛날에 호모 에렉투스(Homo erectus)라고 불리는 직립인들이 아프리카로 부터 걸어나와 아직 아무도 살고 있지 않던 지구 전체로 퍼져나갔다. 이렇게 퍼진 원시 인류들이 바로 유럽의 네안데르탈인(Neanderthal), 중국의 북경인(Beijing Man), 인도네시아의 자바인(Java Man)들이라 믿어지는데, 그러면 정말 이들이 우리 현대인의 조상이고 우리가 그들의 자손일까? 이들은 이미 오래전에 죽었기에 직접 대화해 볼 방법은 없지만, 이들과 현대인과의 생물학적 연관성을 거꾸로 추정할 수 있는 방법은 과연 없을까?

1. 화석학과 유전학

인류의 기원을 조사하기 위해 전통적으로 사용되던 방법은 화석(fossil)을 연구하는 것이다. 즉, 특정 지점에서 발견된 화석의 치아들을 조사하고 뼈의 구조를 비교한 다음 화석의 주인공들이 살았던 연대와 시대상을 역추정하는 것이 보편적인 방법이었다. 그러나 최근에 생물학이 발달하면서 분자유전학(molecular genetics)이라는 새로운 학문이 대두되었고 유전자 차원에서의 분석이 가능해졌다. 분자유전학적 연구는 현존하는 생물의 유전자를 분석하여 진화의 고리를 추적한다는 점에서 과거에 이미 사라진 생물의 화석을 대상으로 하는 고생물학과 큰 차이가 있다. 분자유전학적 연구에서 널리 알려진 사람은 윌슨(Allan Wilson)과 그의 동료 레베카 칸(Rebecca Cann) 박사이다. 이들에 의하면 현대인의 역사는 겨우 20만년 정도로 아프리카에 살았던 사람들로부터 유래 되었다는 것이다. 이는 그동안 고생물학자들이 인류의 역사를 적어도 100만년 이상이라고 주장했던 것과 크게 차이가 나는 주장이며 동시에 인류가 지구의 이쪽 저쪽에서 산발적으로 나타났다는 종래의 주장과도 정면으로 배치되는 학설인 것이다. 사람의 진화에 관하여 분자유전학자들이 고생물학자(paleontologist)들과 의견을 달리하는 부분은 크게 세 가지이다.

첫째, 고생물학자들은 주장의 근거를 화석에 두고 있으며 인간과 원숭이가 분리된 시점을 약 2,500만년으로 계산하고 있다. 그러나 분자유전학자들은 인간과 원숭이의 유전자를 비교하였고 이들이 너무도 유사하기 때문에 분리된 시점이 200만년 이상 되기에는 부적합하다는 결론이다. 결국 이 논쟁은 15년 이상 끌었고 최근에야 분자유전학자들의 승리로 끝나게 되었다.

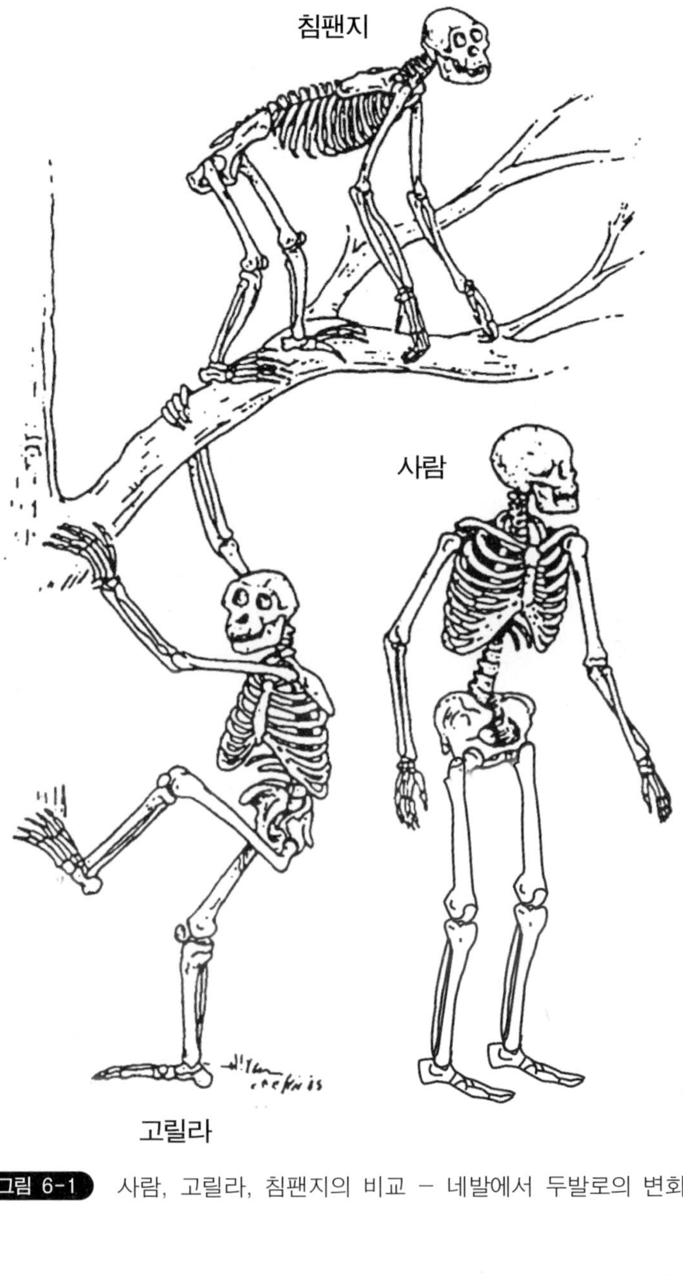

그림 6-1 사람, 고릴라, 침팬지의 비교 – 네발에서 두발로의 변화

두 번째는 고생물학자들이 인류가 과거 수백 만 년에 걸쳐 지구의 이쪽 저쪽에서 나타나기 시작했다고 주장하는 반면 유전학적 연구는 20만년 전에 아프리카에서 살았던 한 여자로부터 모든 인종이 유래되었다고 보고 있는 것이다. 물론 화석학적 주장, 또는 유전학적 주장만으로는 인류가 언제, 어떻게, 어디에서 유래했는 지 정확히 알아낼 수 없다. 그러나 논리상 유전학적 방법이 훨씬 더 신빙성이 있는 이유는 현존하는 생물이라면 반드시 그 조상이 있어야 되는 반면에 죽은 화석들의 경우 그 자손이 현재까지 이어져 존속해야 할 필연적인 이유가 없기 때문이다. 즉 화석은 당시에 살았던 사람과 유사하지만 사실은 사람이 아닌, 그리고 지금은 멸종해 버린 다른 동물의 것일 수도 있기 때문이다. 현존하는 유전자에는 반드시 조상이 있게 마련이고 이를 추적할 수 있는 방법만 있다면 인류의 기원을 알아낼 수 있다고 유전학자들이 자신하는 반면 고생물학자들은 그 화석의 자손이 정말로 현재까지 살아 내려오고 있는 지 확신할 수가 없는 것이다. 게다가 유전학적 연구는 정확한 연대가 알려진 화석 표본이 필요치 않다는 장점이 있다.

셋째, 그러면 어떻게 현존하는 사람들의 유전 정보만으로 인류의 기원을 추적할 수 있을까? 먼저 우리는 유전체(genome)라는 용어를 살펴볼 필요가 있다. 유전체란 어떤 생물체가 가지고 있는 유전자를 총칭하는 용어이다. 그것은 한 생물이 살아가는데 필요한 모든 정보를 운반하는 물질인 동시에 다음 세대로 그대로 복제되어 전해지는 것이다. 만일 세대간 전달 과정에서 어떤 변화가 이 유전체에 일어나게 되면 그것 역시 자손에게 그대로 전달되는 것이다. 그런데 아주 약간의 차이를 제외하고는 동양인이든 서양인이든 사람의 유전자는 거의 동일하기 때문에 어떤 사람의 유전자를 조사하더라도 결국 얻어진 정보가 곧 모든 인류를 대표할 수 있다는 점이 화석 연구와 다른 점이다. 화석의 경우에는 만일 그 화석만이 특수한 모습을 하고 있었다면 연대를 측정하거나 그 당시 사람의 보편적인 모습을 추정하는데 매우 다른 결론을 내리게 만들 것이기 때문이다. 즉, 화석을 분석하여 인류의 기원을 따지고자 하면 여러 가지 추정과 가정 아래 결론이 만들어져야 하는 것이 보통이다. 그러나 물론 앞에서 말한 것처럼 유전학적 주장만으로 인류의 기원을 확실하게 단정짓기란 매우 어려운 일이 아닐 수 없다. 이 때문에 분자 유전학적 연구와 함께 채워지지 않는 진화의 틈들을 고생물학적 연구가 보완해 줄 필요가 있는 것이다.

1967년에 라마피테쿠스(Ramapithecus)라 불리는 영장류의 화석이 분석되었다. 이 화석은 약 2,500만년 된 것으로 추정되었는데 치아의 구조와 골격의 구조로 보아 사람과 원숭이가 공통 조상으로 부터 분리된 직후에 나타난 것으로 추정되었다. 만약 이 말이 옳다면 라마피테쿠스는 결국 사람의 직접적인 조상인 셈이었다. 그러나 나중에 분자유전학 차원에서 조사된 바에 의하면 사람과 침팬지는 겨우 오백 만 년 내지 칠백 만 년 사이에 갈라졌음이 확인되었고 더욱이 라마피테쿠스는 오랑우탄의 선조로서 사람과는 아무 관계가 없음이 밝혀졌다. 이것은 화석학적인 연구에만 의존하였을 때 잘못된 판단을 내리기가 얼마나 쉬운 지를 단적으로 보여주는 예라 하겠다.

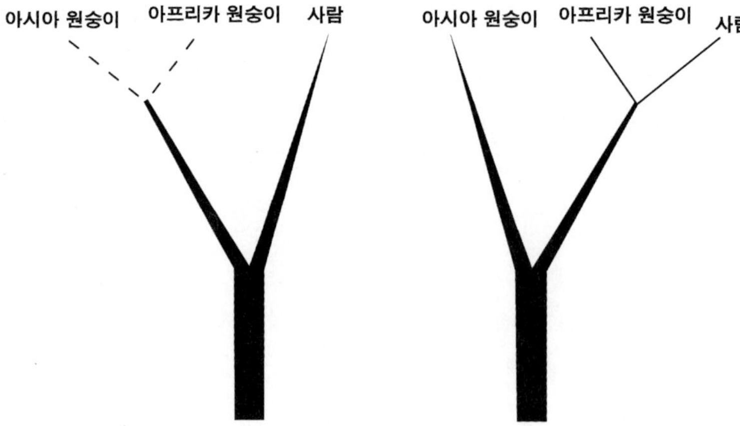

그림 6-2 사람과 원숭이의 진화적 갈래에 대한 두 가지 이론

2. 미토콘드리아 DNA

아무리 생물학이 발달하였다 해도 사람의 전체 유전체는 워낙 복잡하기에 이를 분석하기란 여간 어려운 일이 아닐 수 없다. 때문에 사람의 진화를 밝히기 위해 분석하는 것은 이중 일부로서 주로 미토콘드리아(mitochondria)에 들어있는 유전자를 대상으로 하게 된다. 세포는 핵과 세포질로 되어 있다. 핵이 대부분의 유전자를 저장하는 역할을 하는 반면에 세포질에는 미토콘드리아라는 작은 기관이 있고 여기에서 세포활동을 위한 에너지가 만들어진다. 흥미로운 것은 미토콘드리아 역시 약간의 자체 유전자를 가지고 있다는 사실이다. 유전자의 화학적 실체는 DNA인데 핵의 DNA가 긴 실 모양으로 되어 있는 것과는 달리 미토콘드리아의 DNA는 고리 모양인 것이 특징적이다. 그리고 핵의 DNA가 약 25,000개의 유전자를 가지고 있어 사람이 필요로 하는 정보를 거의

모두 가지고 있는 반면에 미토콘드리아 DNA는 겨우 37개의 유전자만을 가지고 있다.

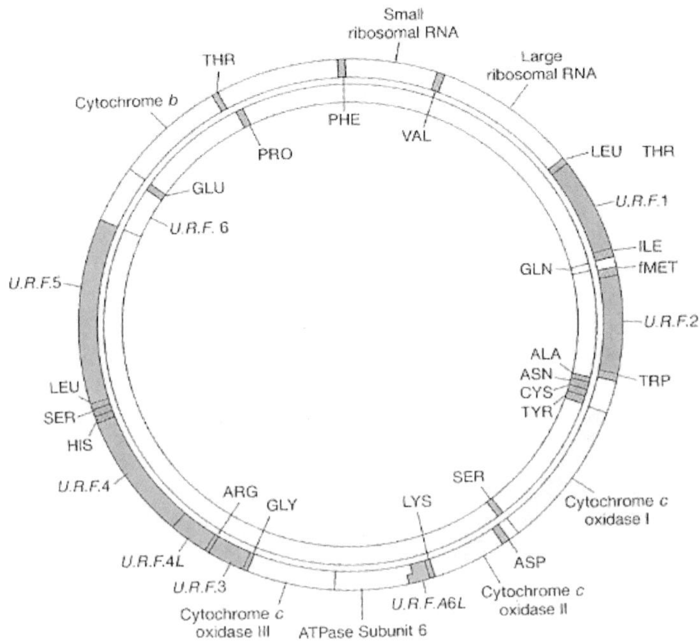

그림 6-3 사람의 미토콘드리아 유전자

미토콘드리아 DNA를 분석할 때의 장점은 크게 세 가지이다. 첫째는 돌연변이(mutation)가 빠르고 많이 일어난다는 것이다. 때문에 인류가 진화해 온 과정에서 미토콘드리아 DNA는 개체별로 충분한 유전적 차이를 보이게 되었다는 것이다. 특히 미토콘드리아 DNA의 변이는 일정한 시간 간격으로 일어나기 때문에 개체간에 변이 수가 다르다면 이들이 분기한 시점을 역추정할 수 있다는 것이다. 둘째는 핵 DNA에서 일어난 돌연변이가 대개는 개체에 치명적이기에 개체 사멸과 함께 집단

속에서 사라져 버리는 것과 달리, 미토콘드리아의 돌연변이는 개체의 생사에 아무런 영향을 미치지 않기 때문에 자연도태로 끊어지지 않고 계속하여 후세에까지 전해질 수 있다는 점이다. 따라서 우리가 가지고 있는 미토콘드리아는 아주 먼 옛날 인류의 공통 조상으로 부터 전해 내려온 것일 수밖에 없으며, 그때부터 지금까지 일어난 변이의 수를 조사하면 인류가 지구상에 나타난 연대를 역추정할 수 있다는 것이다. 셋째로 미토콘드리아 DNA는 모계 쪽으로만 전해진다는 점이다. 핵의 DNA는 아버지도 영향을 미치기 때문에 매 세대마다 교배를 통해서 무한정 가지를 치는 반면 모계 유전인 미토콘드리아 DNA는 같은 어머니로 부터 온 형제지간이 가장 가깝고, 세대가 멀수록 변이 때문에 조금씩 차이를 보이게 되는 것이다. 이론적으로 모든 사람의 미토콘드리아 DNA는 공통조상인 한 여성으로 부터 나온 것이므로 거꾸로 거슬러 올라가면 최초의 여성 즉, 이브(Eve)를 찾을 수 있다는 것이다. 이를 다시 거꾸로 표현하면 이브의 자손들이 지금까지 끊이지 않고 딸을 낳아 오늘날에 이르렀다는 뜻이다.

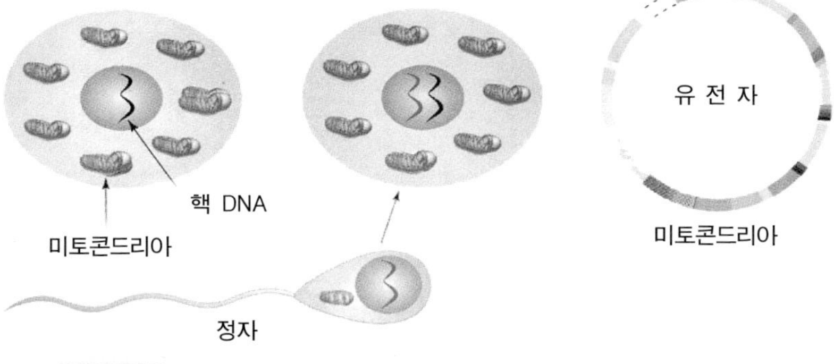

그림 6-4 미토콘드리아 DNA의 모계 유전에 대한 발생학적 이유

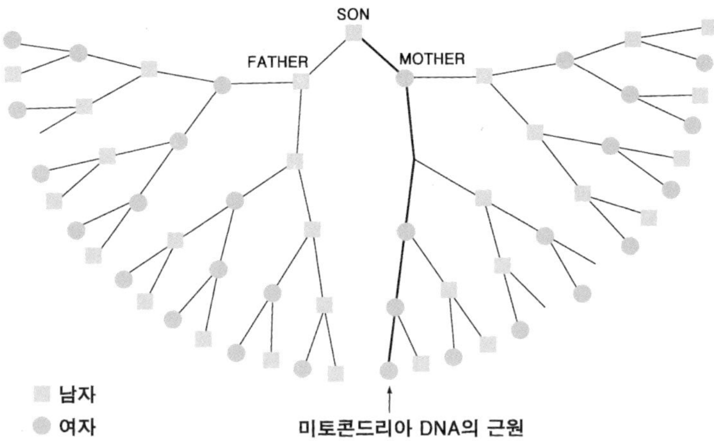

그림 6-5 공통 조상(미토콘드리아 이브)을 역추정하는 과정

물론 이미 과거에 죽은 조상들의 미토콘드리아 DNA를 조사할 수는 없는 일이다. 그럼에도 불구하고 다행스러운 것은 생존해 있는 여러 인종들을 조사해서 서로간의 차이를 밝히게 되면 공통된 구조가 나오게 되고 이로 부터 각 인종간의 거리를 조사하여 인류의 기원이 어느 지역에서 시작되었는 지 계산할 수 있다는 것이다.

1988년에 전세계적으로 본격적인 조사가 이루어졌다. 그 결과 아프리카가 인간의 궁극적인 고향임이 밝혀졌고 다른 지역의 사람들은 아프리카로 부터 3번에 걸친 대륙간 이동으로 퍼져나왔음이 확인되었다. 즉 아시아인의 조상은 아프리카에서 걸어 나와 동쪽으로 이동한 사람이며 나중에 유럽으로 다시 이주하였다는 것이다. 돌연변이를 계산한 결과에 따르면 이 아프리카 조상은 약 20만 년 전에 살았던 것으로 추정되었다.

3. Y 염색체

최근에 Y 염색체에 있어 남성에게로만 전해지는 유전자 분석을 통해 비슷한 결과가 얻어지고 있다. 미토콘드리아에 대한 연구와는 대조적으로 이는 아담(Adam)에 대한 연구가 될 것인데 아직 연구의 초기 단계지만 역시 지형적으로는 아프리카가 기원이었음을 말해주고 있다. 생물학의 발달은 과거에 우리가 밝힐 수 없었던 인류의 기원에 대하여 여러 가지 새로운 단서들을 제공하고 있다. 앞으로도 더욱 많은 분석과 연구가 이루어져야 하겠지만 유전학의 발전은 인류의 궁극적인 숙원인 뿌리를 찾는데 커다란 진보를 가져온 것이 사실이다. 이러한 유전학적 연구와 함께 고생물학적 연구 결과, 그리고 미이라나 화석의 DNA를 분석한 자료들을 종합할 때 우리의 조상을 찾는 일은 훨씬 더 빠르고 쉬울 것으로 기대된다.

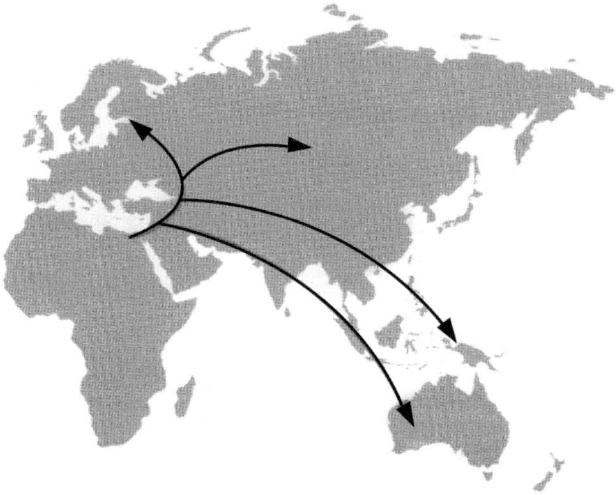

그림 6-6 인류의 이동

제7장
외계의 생명

1. 우주의 기원

현대물리학에 따르면 우주(universe)는 약 150억 년 전에 시작되었다고 한다. 최초에는 지극히 좁은 공간에 에너지가 꽉 차 있는 상태였다가, 밀도가 점차 줄어들면서 양성자(proton)와 전자(electron)가 생겨났다는 것이다. 이것들은 점차 서로 혼합하여 수소(hydrogen)를 이루었으며, 그 후 수소의 커다란 구름이 팽창을 계속한 것으로 믿어진다. 수소 구름은 전체적으로는 팽창하지만 부분적으로는 중력 때문에 다시 뭉치게 되는데 이렇게 뭉친 덩어리는 별이 되면서 내부 온도가 올라가기 마련이고 핵융합반응이 일어나면서 헬륨(helium)을 발생시켰던 것으로 보인다.

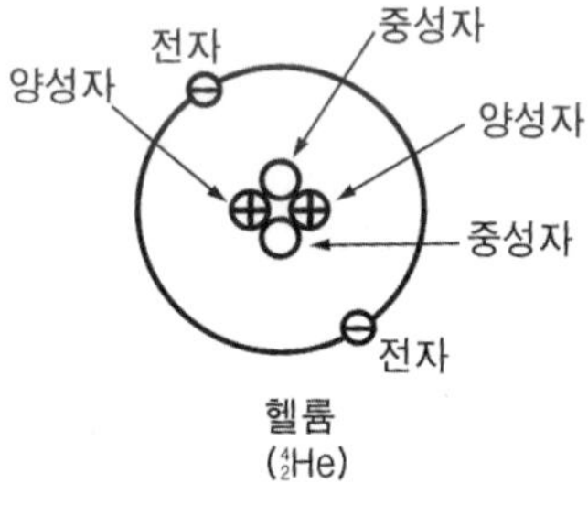

그림 7-1 헬륨원자의 구조

수소의 상당부분이 헬륨으로 변화할 즈음 드디어 별은 불안정하게 되어 폭발을 하였고 폭발로 인해 공간에 흩어진 물질들은 다시 모여서 새로운 별이 되었으며, 이 별의 내부에서 수축에 의한 중력에너지가 방출되어, 높은 온도 때문에 핵융합반응이 다시 일어나면서 폭발하였을 것이다. 이 폭발때에도 역시 핵융합반응이 계속해서 되풀이되었고 결과적으로 우주 전체는 비상한 속도로 팽창하며 부분적인 수축과 폭발에 의해 수소와 헬륨을 점점 더 무거운 원소(element)로 변환시켰을 것이다. 물질과 에너지는 얼핏 보기에 개념상 다른 것으로 보이지만 원래는 같은 것이었다는 점을 인정한다면 결국 우주는 최초의 압축되었던 상태가 이 과정 속에서 크게 팽창된 것에 불과하다는 것이다.

그림 7-2 우주의 모습

이 논리에 따라 우주의 나이를 역산해보면 우주는 지금으로 부터 약 150억 년 전에 에너지 덩어리로서 출발했음을 알 수 있다. 이 우주의 나이는 별의 형성에 관여한 핵반응에서 주로 추정한 것이지만 운석들에 포함된 동위원소(isotope)를 분석한 결과와도 일치하는 것으로 최근 확인되었다. 동위원소란 원자번호, 즉 양성자의 수는 같고 무게(질량수)만 다른 두 개의 원소를 말한다. 그러나 태초의 에너지 덩어리가 아주 처음에 무엇으로 부터, 또 어디에서 부터 시작되었는 지는 아직 전혀 알지 못하고 있다. 우주와 비교해 볼 때 우리가 사는 지구는 약 46억 년 전에 형성된 것으로 추정된다. 우주가 계속 팽창하고 있다는 위의 이론과는 달리 어느 정도 팽창하면 다시 수축을 시작하며 이러한 팽창과 수축을 연속적으로 되풀이 한다는 이론을 주장하는 물리학자들도 물론 있다. 또 우주의 중심에서는 언제나 새로운 물질이 생산되고 있으며 그것이 팽창하면서 우주의 끝까지 퍼져 나가 어딘가에서 사라지고 만다는 설도 있다. 현재로서는 운석(meteorite)을 분석한 자료 등으로 미루어 볼 때, 맨 처음에 이야기한 팽창설이 가장 유력하지만, 앞으로 혹성과 달들에 대한 탐사 자료들이 보완되면 좀 더 신빙성 있는 학설들이 나올 수 있을 것으로 보인다. 여기서 생각할 것은 물질로서의 우주다. 우주는 태초에 에너지로서 존재하였고 이것이 점차 물질화된 것이다. 즉 동질의 개념이 시간에 따라 형태 변화하였을 뿐이다. 그렇다면 태초부터 있었던 이 우주 에너지의 기원은 과연 어디일까?

2. 태양계의 기원

태양계는 우리들 인류가 살고 있는 곳이다. 따라서 우리가 살아온 역사를 잘 조사하면 태양계가 어떻게 형성되었는가를 구체적으로 해명할 실마리가 있지 않을까? 연구의 첫째 방법은 지구에서 발견되는 암석들을 철저하게 연구하는 것이다. 둘째는 운석을 연구하는 것이다. 운석은 지구의 기초가 되는 재료와 본질적으로 동일한 재료로 구성되어 있다고 알려져 있기 때문이다. 한편으로는 달에 대한 연구를 강화할 필요가 있을 것이다. 실제로 달의 암석들은 이미 미국과 소련 양국에서 갖고 돌아왔고 여러 가지로 연구하고 있는 것으로 알려져 있다. 화성(Mars)과 같은 혹성(planet)을 연구하는 것도 큰 도움이 될 것이다. 화성뿐 아니라 태양계의 혹성들에서 재료를 가져다 지구에서 연구하는 것이 이미 어려운 일은 아니기 때문이다.

우주의 나이를 계산하기 위해 흔히 사용되는 방법은 방사성동위원소(radioisotope)를 이용하는 것이다. 방사성동위원소란 우라늄(uranium)이나 라듐(radium)처럼 핵붕괴를 일으키며 방사선을 방출하는 원소들을 말한다. 이 핵붕괴의 속도는 원소에 따라 여러가지인데 짧으면 수 초에서 수억 년 걸리는 것까지 다양하다. 따라서 특정 원소의 핵붕괴 속도를 조사하고, 현재 남아있는 지구의 암석이나 운석을 분석하여 그동안 그 원소가 변화하지 않고 얼마만큼 남아있는 지를 연구하면 태양계의 연령을 거꾸로 추정할 수 있는 것이다. 지금까지의 연구로 미루어 보면 태양계의 연령은 적어도 46억년 이상으로 추정이 된다. 처음에는 현재의 태양계가 접하고 있는 공간 가득히 기체인 물질이 고온으로 확산되어 있었을 것이고 점차 질량이 모이면서 대부분 중앙에 모여 태양이 되었을 것이다. 그다음에는 온도가 차차로 내려가기 시작하면서 딱딱한 보석과 같은 돌이나 쇠 등이 우선 고체화되었을 것이다. 이러한 고온의 기체 속에서 차차 작은 알맹이가 생겨났을 것이고 이것이 나중에 희박한 연기처럼 되었다고 생각하면 좋을 것이다. 이런 알맹이는 나중에 집합하여 태양에 가까운 금성(Venus), 지구, 화성 등의 혹성이 된 것으로 믿어진다.

3. 지구는 특별한 별인가?

은하계 일부분에 온도가 높은 가스의 집합체가 형성되었고, 그것이 냉각되기 시작한 것은 46억년 전 옛날이다. 전체 질량의 99.9%는 중심에 모여서 태양을 만들었으며, 남은 것이 이쪽 저쪽에 집합하여 혹성이 되었다. 이렇게 모인 태초의 구름들은 회전하고 있었기 때문에 그것이 응고한 태양이나 혹성도 역시 돌고 있는 것이다. 대부분의 질량이 태양에 집결되었는 데도, 오히려 운동량은 각각의 혹성들에 나누어진 것으로 추정된다. 이렇게 형성된 혹성에는 수성(Mercury), 금성, 지구, 화성, 목성(Jupiter), 토성(Saturn), 천왕성(Uranus), 해왕성(Neptune), 명왕성(Pluto)의 9개가 있다. 그중 태양에서 가까운 화성까지의 4개 혹성은 바위 덩어리로 이루어졌으며, 목성부터 그 바깥쪽을 도는 혹성들은 크기는 거대하지만 사실은 거의 수소로 이루어진 가벼운 별들이다.

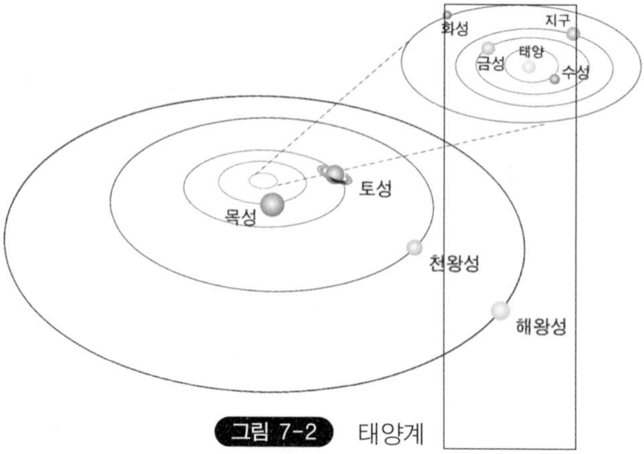

그림 7-2 태양계

지구와 한 동아리인 수성, 금성, 화성 중 태양에 가장 가까운 것은 수성이다. 직경으로는 달의 한 배 반이고 지구 질량의 18분의 1에 불과하다. 금성은 지구의 바로 안쪽 궤도에서 태양 주위를 돌고 있는데 지구에 가깝고 흰구름으로 덮여 있기 때문에 매우 밝아 보이므로 샛별이라고도 불리어진다. 크기도 지구와 유사하여 직경이 3% 정도 밖에는 차이나지 않으나 대기가 거의 이산화탄소(CO_2)로만 구성되어 있다. 금성 지표의 압력은 90기압이고, 온도는 470도나 되는 고온으로 알려져 있다. 지구보다 조금 더 태양에 가깝다는 이유만으로 대단한 온도 차이를 보이고 있는 것이다. 금성에는 물이 없는 것으로 알려졌는데 주된 이유는 태양 자외선 때문에 분해되어 버렸다고 하지만 설사 물이 있었다 하더라도 이렇게 고온이라면 전부 증발해 버렸을 것이다. 때문에 물구덩이나 바다 같은 것은 생겨날 수 없었을 것이고 바다가 생겨났다 하더라도 대기의 이산화탄소가 물에 녹고 칼슘이나 마그네슘과 화학반응을 일으켜 암석화되고 말았을 것이다. 즉 액체인 물로서 바다가 생겨날 수 있느냐 여부에 따라 금성처럼 되느냐 지구처럼 되느냐가 엇갈린 것이다.

화성은 지구의 바로 바깥쪽 궤도에 있으며, 역시 지구와 여러 가지로 유사하다. 그러나 중량이 지구의 10분의 1 밖에 되지 않아서 대기는 거의 다 빠져 나갔고 아주 조금 밖에 남지 않았다. 흥미로운 것은 이 엷은 대기 속에 약간의 산소가 포함되어 있고 지상에는 상당한 양의 물이 있다는 것이다. 이 물은 낮은 온도 때문에 거의 전부가 얼어버렸고 이 때문에 남극과 북극에서 하얀 극관을 볼 수가 있다.

따지고 보면 결국 금성, 지구, 화성은 처음부터 같은 화학 조성으로 만들어진 것이 아닐까? 태양으로 부터의 근소한 거리 차이로 인해 금성에서는 물이 수증기로 변하였고, 화성에서는 얼음이 되었으며, 지구에서만 바다를 형성할 수 있었던 것 같다.

물! 물이 있어야 푸른 바다가 있고 상쾌한 흰구름이 그 위로 두둥실 뜨게 마련이다. 지구야말로 생명이 탄생하기에 가장 적절한 환경이 아닌가? 생명의 근원은 물이기 때문이다.

그림 7-3 아름다운 지구의 모습

4. 생명의 시작

인류가 궁극적으로 해결해야 할 또 다른 질문은 "생명이 어디에서 시작하였는가"이다. 과거에는 생물이 자연 발생하는 것으로 알고 있었기에 아무도 생물의 기원 같은 것은 염두에 두려고 하지 조차 않았다. 그 당시 사람들에게는 청소를 게을리 하거나 목욕을 하지 않고 있으면 구더기가 생기거나 이가 끓는 것이 너무도 당연한 일이었고 뱀장어는 하구의 흙탕 속에서 자연 발생한다고 믿고 있었다.

이러한 개념이 바뀐 것은 현미경이 널리 사용되면서 부터이다. 자연적으로 생겨나는 줄 알았던 생물들이 실상은 눈에 안 보이는 조그만 알에서 태어나고 있었던 것이다.

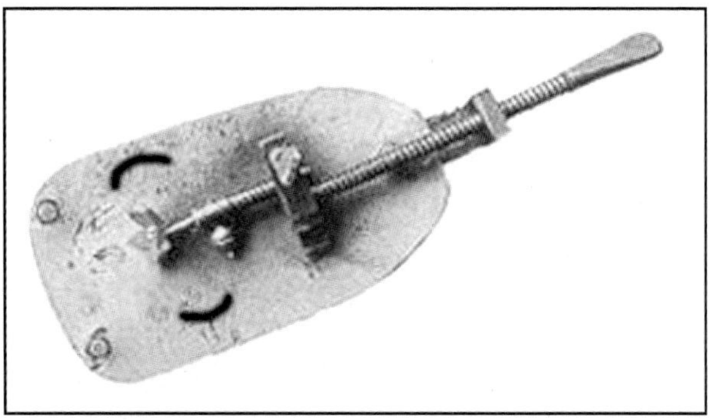

그림 7-4 초기의 현미경

심지어는 현미경으로도 보일까 말까한 박테리아조차 어미로 부터 분열되어 태어나고 있음이 확실해졌다. 결론적으로 생명은 반드시 생명으로 부터만 전해져 오는 것이다.

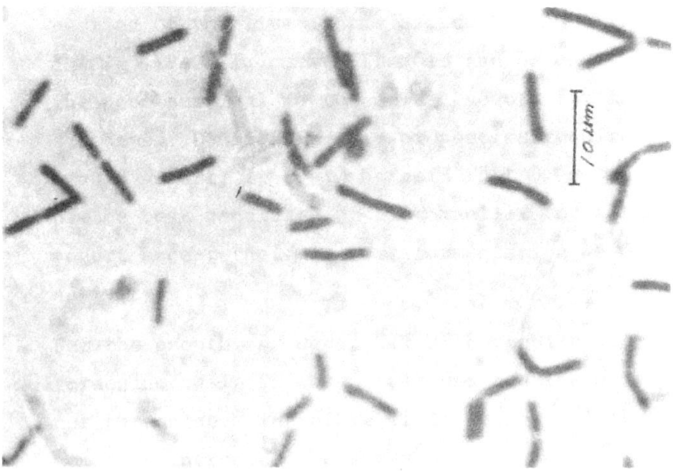

그림 7-5 세포 분열 중인 박테리아

그렇다면 최초의 생물은 어떻게 존재한 것일까? 처음부터 지구에 그냥 존재한 것인가? 아니면 어느 시기엔가 외계에서 지구로 이주해 온 것일까?

지금도 어떤 사람들은 범균론(panspermia theory)을 주장하고 있다. 우주 공간을 떠도는 생명의 포자가 있다는 것이다. 우주 공간에는 해로운 방사선이 많기 때문에 보통의 생명체가 노출된 상태로 여행하는 것은 거의 불가능한 것으로 알려져 있다. 그러나 포자처럼 휴면하고 있는 것은 방사선이 침범하기 힘들기에 긴 우주 여행에 충분히 적응할 수 있다는 것이다. 그렇다면 "포자는 어디에서 왔는가" 하는 물음이 또다시 나오게 되는데 이러한 질문은 끝없이 이어지게 마련이고 결국 우주의 어디에선가 생명이 탄생했어야 한다는 결론에 다다르게 된다. 그러나 우주가 생성된 직후에 공간 속에 존재했던 것이라고는 수소뿐이었으므로 이로 부터 어떻게 생명체가 조립되었는가는 불가사의한 일이 아닐 수 없다.

분명한 것은 그럼에도 불구하고 우주의 어딘가에서 생명이 시작되었어야 한다는 것이다. 최초의 생명현상이 반드시 지구에서 시작되었다고 주장할 수 있는 근거가 있는 것은 아니지만 이미 다양한 생물들이 살고 있으며 특별히 좋은 환경을 지닌 지구야말로 생명이 탄생하기에 가장 적절했으리라 보는 것이 지배적인 견해이다.

5. 인간은 우주에서 살 수 있을까 ?

30년 전만 해도 꿈만 같았겠지만 이제는 달나라로의 신혼여행이 10년 내로 가능할 것이라는데 대해 놀랄 사람이 별로 없을 것이다. 지구는 이제 사람으로 넘쳐날 정도가 되었다. 특히 우리 한국인은 이 사실을 너무나 통감하고 있다. 비좁은 한반도 위에는 살 만한 곳이라면 어디든지 사람으로 가득 차 있다. 내 나라가 비좁다하여 남의 나라로 나가 사는 것도 한계가 있다. 급기야는 지구로 부터 뛰쳐나가고 싶은 마음이 생길 수밖에 없는 것이다.

과연 우주 공간에서의 인간 생활이 가능할 것인가 ? 달은 지구에서 바라보면 아름답지만 중장비 없이는 살 수 없는 환경이다. 공기가 없다는 것도 문제다. 땅 밑에 밀봉한 구멍을 파고 살면 되지 않겠느냐 하는 이야기도 있지만 그다지 유쾌한 생활이 될 수는 없을 것이다. 화성은 너무 춥고 먼지가 많다. 금성은 그와 반대로 너무나 뜨겁다. 아무리 열에 강한 기계라 해도 한 시간을 견디기 힘들 것이다. 금성이 뜨거운 것은 태양에 가까운 탓도 있지만 대기 속에 있는 다량의 이산화탄소 때문이기도 하다. 이산화탄소 층은 온실의 유리와 같은 구실을 하여 내부를

뜨겁게 만들기 때문이다. 이러한 연유로 이산화탄소 양을 줄여 금성의 온도를 낮추면 어떨까 하는 제안들이 나오고 있는 것도 사실이다. 가장 좋은 방법은 하등한 조류를 금성으로 먼저 이주시키는 것이다. 열기구 같은 것에 실어 보내면 일부 조류는 타버리기도 하겠지만 일부는 살아 남아 물질대사 작용으로 이산화탄소를 거둬들이고 산소를 낼 것으로 희망하기 때문이다. 이를 계속적으로 반복하면 어느 정도 이산화탄소 양이 줄어들면서 온도가 내려갈 것이고 온도 때문에 증발했던 물이 다시 액체로 변할 것이다. 일단 이 정도만 되면 성공인 셈이다. 비가 오기 시작하면 이산화탄소는 녹아서 땅위로 내려오게 되고 암석의 칼슘이랑 마그네슘과 화합하여 더욱 빠른 속도로 소비될 것이다. 물론 금성은 지구보다 태양에 가까우므로 아무리 노력해도 어느 정도는 뜨거워지는 것을 막을 수 없을 것이다. 그렇다면 적도 부분을 피해 양극 지방만을 사용하는 방안도 생각할 수 있을 것이다. 양극이라면 인간이 거주하기에 훨씬 편안한 온도일 것이기 때문이다. 21세기에는 지구 전체가 인간으로 가득 찰 것이고 식량의 확보도 더욱 어려워질 것이기에 때를 놓치기 전에 우주 공간을 개척하는 작업이 시작되어야 할 것이다. 심지어는 소혹성이나 목성의 부스러기 등을 끌어다가 태양에서 적당한 거리에 새로운 혹성을 만들자는 제안도 있다. 이것이 정말 가까운 장래에 실현 가능할 지는 미지수이지만 우주를 향한 노력이 계속되는 한 인류 생존의 앞날은 밝다 하겠다.

6. 화성의 생명체

저 멀리 우주 다른 곳에도 과연 생명체가 존재하고 있을까? 만일 존재한다면 그곳에도 진화가 있을까? 그리고 생명체 존재의 증거는 무엇인가? 최근에 화성에서 온 돌덩어리 하나가 전 인류를 충격 속에 몰아넣었다. 화성에도 생명체가 존재한다는, 혹은 적어도 존재했었다는 가능성을 보여 주었기 때문이다. 물론 이 작은 돌덩어리 하나가 외계 생명에 관한 모든 질문에 답을 할 수는 없다. 그러나 적어도 이 넓은 우주 공간 어딘가에는 또 다른 진화된 생명체가 있을 수 있다는 증거를 제시하고 있는 것이다.

1,600만년 전에 커다란 운석 하나가 먼지투성이인 화성 표면에 충돌하였고 이로 인해 수백만 개의 수소 폭탄이 터지는 것과 같은 엄청난 힘이 커다란 분화구를 생성시켰다. 이 충격으로 흙먼지와 돌덩이들이 대기 중으로 튀어 올랐으며 어떤 것들은 중력을 이기지 못해 다시 표면으로 내려 앉았는가 하면 속도가 빠른 또 다른 것들은 화성의 궤도를 이탈해서 천천히 태양계 속으로 이동하였다. 결국 이런 돌들은 수백만년을 거쳐 우주 공간을 헤매게 되었고 이 중 하나가 마침내 13,000년 전 지구에 도달하게 되었다. 이때 지구는 아직 석기 시대였고 부분적으로 막 농경시대로 접어들고 있었다. 이 돌은 빙하 속에 깊숙이 처박혔으며 오랜 세월이 흐른 뒤 1984년에야 드디어 과학자들에게 발견되었다. 이 돌의 무게는 1.9kg, 겨우 감자만한 크기이다. 그런데도 이 작은 돌덩어리에 온 인류가 주목한 이유는 36억년 전에 화성에서 살았을 미생물의 화석이 붙어 있었기 때문이다. 이 사실은 생명체가 지구에만 있다는 것을 부정하는 최초의 증거인 동시에 사람과 지구가 우주의 중심이라는 생각을 일시에 뒤바꾸어 버리는, 그리고 지능을 가진 생명체가 우주 전체에 깔려있다는 것을 암시하는 것이기 때문이다.

화성에 대해서는 그동안 실로 많은 전설과 의견들이 난무했었다. 전자현미경으로 관찰한 이 미세 화석은 분명히 체절이 있고, 막대 대롱같은 모습을 하고 있었다. 직경은 그저 머리카락의 100분의 1 정도로 보였는데 모든 구조로 미루어 볼 때 지구의 미생물과 매우 닮은 모습이었다. 이 화석은 36억 년 쯤 전에 만들어진 것으로 보이며 이것이 사실이라면 그 당시에 화성은 따듯했고 지금보다 습도가 훨씬 높아서 강과 호수와 심지어는 바다도 있었을 것이라고 추정된다.

그러면 이 돌이 화성으로부터 온 것이라는 것을 어떻게 알 수 있는가? 물론 약간의 논란이 없는 것은 아니지만 이 운석 안에서 발견되는 가스의 조성이 1976년에 화성을 탐사했던 바이킹호(Viking)가 지구에 보내온 화성 대기 표본과 정확하게 일치하기 때문이다. 미국항공우주국(NASA)에서는 이미 모든 증거가 화성에 생명이 있었다는 것을 시사한다고 발표하였다. 이는 1976년 바이킹호가 화성의 흙을 파올렸지만 생명체에 대한 증거를 찾지 못했던 것과 정반대되는 발표라는 점에서 흥미롭다. 특히 화성에는 오존층이 없어 태양 방사선이 여과되지 못하므로 생물체가 존재할 수 없다고 믿었던 그동안의 생각을 정면으로 반박하는 것이기도 하다. 미국항공우주국에 의하면 비록 지표면에서는 생물체가 발견되지 않았을 지라도 땅 속 깊은 곳에는 지금도 생물체가 있을지 모른다는 것이다. 따지고 보면 바이킹호가 생물체를 찾지 못하였을 지라도 화성의 표면에 사람 얼굴을 닮은 조각물이 있다든 지 폐허가 된 도시의 흔적이 있다든지 하는 상상들은 아직까지도 끊임없이 이어지고 있었던 것이다.

외계 생명체를 찾으려는 노력은 SETI(search for extraterrestrial intelligence)라는 모임에 의해 지금도 계속되고 있다. 최근에 NASA는 비소를 물질대사시켜 살아가는 새로운 박테리아를 발견하여 발표하였다. 이 발견은 지금까지 알려진 지구 생명체와 전혀 다른 생명체가 외계 어딘가에 존재할 수 있다는 가능성을 한층 높여준 것이라서 관심을 끌고 있다. SETI는 항상 하늘을 주시하고 있으며 외부의 문화 생명체로부터 언제 올 지 모르는 신호에 주파수를 맞추려고 노력하고 있다. 미생물 화석과 비소 박테리아 발견은 SETI로 하여금 적절한 조건이면 어디에서든 생명체가 존재할 수 있다는 믿음을 더욱 확실하게 해주는 계기가 되었다. SETI에 의하면 태양이란 은하계를 구성하는 2,000억 개의 별 중 하나에 불과하기 때문에 우리가 알 지 못할 뿐 이 우주는 생명체로 가득 차 있으며, 그들 중 어떤 것은 상당한 지능을 가지고 있다는 것이다. 앞으로 과학이 더욱 발달하고 통신 수단이 진보된다면 언젠가 외계인과의 통신이 가능해질 지도 모를 일이다.

미국은 앞으로 10년 안에 적어도 10개의 무인탐사선이 화성에 갈 것이라 말하고 있다. 어쩌면 유인 우주선을 쏘아 올릴지도 모를 일이다. 생명은 지구에서 저절로 태어난 것일까 아니면 외계에서 날아 온 것일까? 이번에 발견된 화석에 의하면 생명체는 화성에서 먼저 만들어졌고 어떤 기회에 지구로 이동했을 가능성이 있는 것이다. 터무니없는 말 같기는 하지만 그렇다면 우리 모두가 결국은 화성인인가? 지금도 어떤 천문학자는 수십 억 년 전에 우리가 사는 태양계에 생명체의 씨들이 뿌려졌다고 주장한다. 그래서 어디서든지 조건이 좋은 것에서는 생명체가 살아났으며 이것이 왜 지구와 화성에서 거의 비슷한 시기에 생명체가 나타났는 지를 설명한다는 것이다. 그러나 이 가설도 근본적으로 이 생명체의 씨앗이 어디서 그리고 누구에 의해서 만들어졌는 지를 설명하지는 못한다.

우리가 사는 이 지구는 어디를 가든 지 생명체가 넘쳐나고 있다. 지구가 특별히 선택받은 축복된 별인 까닭은 무엇일까? 외계 생명을 믿지 않는 사람들도 생명체의 구성 성분인 유기물들이 외계로 부터 지구로 유입되었을 것이라는 점에는 대부분 의견을 같이하고 있다. 대다수의 과학자들은 이러한 유기화합물들이 혜성이나 운석에 의해 지구로 운반되었을 것으로 주장하고 있다. 그러면 화성에서 생명이 시작되어 지구로 이주했다는 주장은 어떤 근거를 가지는 것일까? 놀라운 것은 화성과 지구사이에는 우리가 알고 있는 것보다 훨씬 더 많은 생물학적 교신이 이루어지고 있다는 사실이다. 해마다 화성에는 약 2톤의 우주 물질들이 떨어지고 있고 한편 화성으로 부터 약 2톤의 물질이 지구로 날아오고 있다. 때문에 이런 물질들에 원시 생명체가 올라타고 긴 여정을 거쳐 지구로 이주할 확률은 사실상 아주 높은 것이다.

이번에 발견된 미세 화석은 정말로 이렇게 긴 여행을 거쳐 화성으로부터 온 것일까? 이에 대한 가장 직접적인 대답은 화성에서 직접 미생물을 발견할 때 쉽게 대답될 수 있을 것이다. 그리고 화성의 생명체를 이루는 유전암호가 만일 지구의 생명체와 같이 DNA로 되어 있다면 화성으로 부터의 이주설이 상당히 신빙성을 갖게 될 것이다. 그러나 만일 화성에 생명체가 있더라도 유전암호가 DNA에 의존하지 않는다면 화성과 지구에서 각각 독자적으로 생명체가 진화되었다고 밖에 볼 수 없다. 그렇다면 이 우주에는 독자적으로 진화한 생명체가 아주 흔하게 퍼져 있다는 결론이 내려질 것이다. 화성으로 부터 온 운석, 그리고 이로 부터 발견된 세균의 미세 화석은 외계 생명을 탐구하고 인류의 기원을 찾으려는 노력에 커다란 전환점을 마련하였다. 물론 더욱 신중한 연구와 검증이 필요하겠지만 이 발견은 넓은 우주에서 인류가 결코 외롭지만은 않은 존재임을 강력히 시사하고 있기 때문이다.

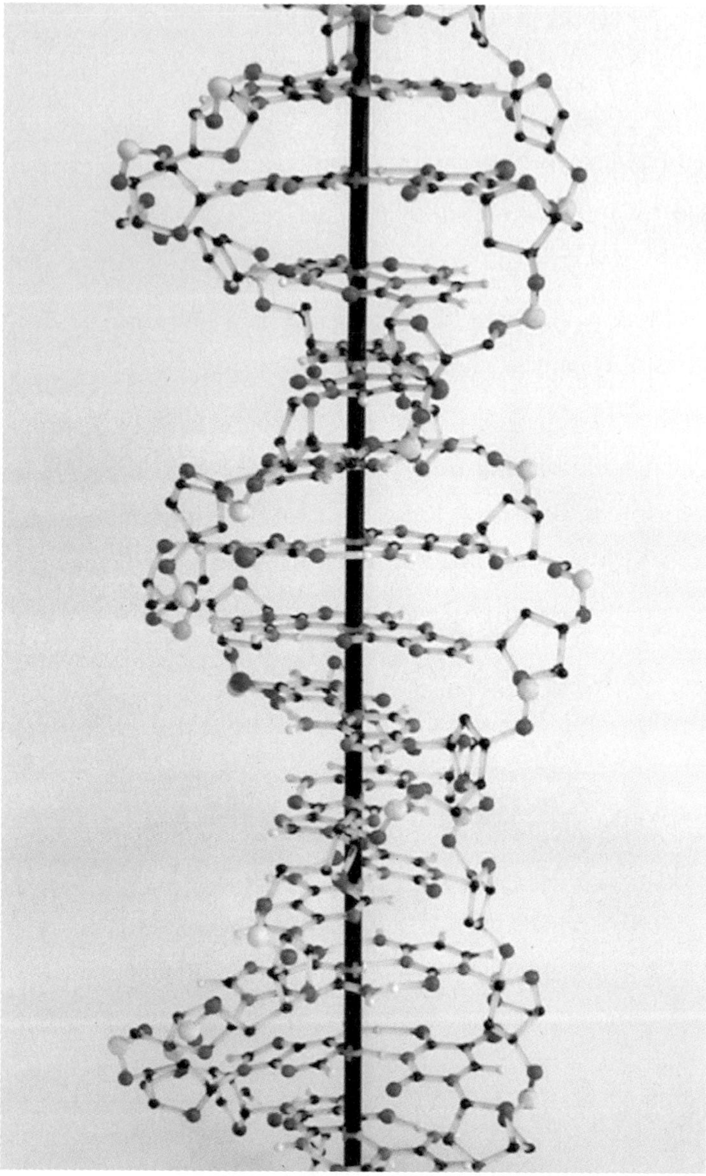

그림 7-6 DNA의 구조

해 설

Ⅰ. 생명의 기원: 서설

생명이 이 지구상에 출현하게된 것은 우연한 사건이라기보다 지구가 탄생하고 진화해 나가는 과정에 있어서 지구의 여러 물리적 조건이 생명의 탄생에 매우 적합하였기 때문으로 보고 있다. 따라서 그러한 지구 환경에서 어떻게 생명이 나타날 수 있는가를 현재까지 알려진 과학적 사실과 증거를 종합해 보고 더불어 지금까지 알려진 생명에 대한 여러 가지 이론과 고찰을 철학적 혹은 신학적 측면에서 비판해 보는 것도 의미있는 일이 것이다. 더욱이 새로이 밝혀지는 여러 가지 사실, 예를 들면, 외계(화성)에서의 생명의 존재 가능성, 복제인간 그리고 생명의 근원이 될 수 있는 미토콘드리아에 대한 문제점 등에 대해 알아보는 것은 매우 흥미로운 것일 것이다.

이렇게 지구상에 생명의 출현하게 된 것에 대한 우선적인 고찰로 우리는 지구의 탄생과정 및 지구의 진화과정을 살펴보았다. 즉, 먼 옛날 별의 폭발로 생긴 기체와 먼지 등이 모여 이루어진 성운 중의 하나가 서서히 회전하면서 수축하여 태양계가 나타났고 그 가운데 있던 미행성들이 수 억 년 동안 합쳐지면서 태양에서 세 번째 위치에 바로 생명이 출현하게 될 지구(Earth)가 형성되었다. 이 후 원시지구 내부에서 분출된 기체들이 원시대기를 형성하였으며, 이를 구성하고 있는 주요한 성분들이 지구가 식어 가는 중에 수증기는 비가 되어 원시해양을 생성하였다. 이어서 대기 중의 이산화탄소(CO_2)는 물에 녹아 대기 중의 CO_2가 감소시켰고 비로소 생명이 탄생할 수 있는 적절한 환경이 만들어지게 되었다.

이러한 조건에서 생명이 출현할 수 있다는 생각과 증명은 미국 시카고대학의 스탠리 밀러에 의해 행해진 소위 '생물 발생 이전의 모의실험'으로써, 그는 간단한 실험기구에 원시지구가 가질 수 있는 조건에서 쉽게 생물의 전구체가 되는 구성성분인 많은 유기화합물을 만들어 낼 수 있었다. 이러한 실험들은 원시지구에서 생명의 기초가 되는 물질이 자연적으로 만들어질 수 있음을 알려줌과 동시에 지구의 조건이 환원대기였다는 것을 강력하게 증명함으로써, 생명의 기원에 대한 사람들의 사고방식을 변환시키는데 중요한 역할을 했다. 즉 지구상에 생명이 출현할 수 있었던 가장 큰 이유는 바로 우리 지구가 생명 창조에 적절한 원자들을 골고루 풍부히 갖고 있었기 때문인데, 대표적인 원자가 유기화합물의 근간이 되는 탄소(carbon)였다.

이 탄소원자는 생명체에 가장 많이 존재하는 원소 중의 하나로 수소, 산소, 질소와 더불어 모든 세포 중량의 99% 이상을 차지하고 있기 때문에, 우리는 다음과 같은 중요한 결론에 도달할 수 있게 된다. 즉, 생물체를 이루는 주요한 원자는 탄소, 수소, 산소 및 질소로 이들이 생체분자를 이루어 세포를 만들며 생명현상을 나타내고 있다는 것이다. 이 원자들은 생명현상을 이루는데 있어서 각자 특이적인 역할을 수행하고 있기 때문에, 결국 생명의 창조 혹은 진화과정에 있어서 특별히 선택되어진 것이다.

한편 탄소는 생명현상에 필요로 하는 가장 많은 특성을 어떠한 다른 원자들보다 많이 갖고 있는데, 대표적인 성질로는 다음과 같은 것들이 있다. 첫째, 탄소는 네 개의 '공유결합'을 할 수 있기 때문에 생물체를 이루는 수많은 분자의 골격이 될 수 있다. 둘째, 다양한 '3차원적 구조'를 만들 수 있다. 다른 원소에 있어서는 이 같이 여러 가지 크기나 모양의 분자를 형성할 수 없기 때문에 이러한 탄소의 원자 수준에서의 구조적 특성은 세포 내부의 복잡성을 가져다 줄 수 있으며, 대부분 탄소원자로 만들어지는 유기화합물은 여러 가지 크기와 모양은 이러한 성질 때문에 나타나는 것으로 해석된다. 셋째, 탄소원자는 다양한 '관능기'를 만들 수 있는데, 이 관능기는 특히 생체의 반응성에 영향을 주며, 세포의 촉매제인 효소의 경우, 생체분자의 특이적 관능기를 인식하여 이 구조의 특유한 화학변화를 촉매할 수 있다. 넷째, 탄소화합물이 가져다 줄 수 있는 유기화합물의 '비대칭성'이다. 이러한 탄소원자의 특성 때문에 수많은 탄소유기화합물은 질서를 갖게되며 아주 복잡한 생화학 현상일 세포에게 독특하고 질서정연한 생명을 가져다주게 되는 것이라 볼 수 있다.

하지만 우리는 이러한 모든 물질의 기본이 되는 원자가 생명을 갖는다고 볼 수는 없다. 왜냐하면 생물은 복잡한 세포로 구성되어 있으며 또한 세포는 셀 수 없을 만큼 많은 그 무엇인가로 구성되고 있으며, 그 각각은 고유의 반응과 작용을 하면서 생명이란 현상을 그 나름대로 지배하고 있기 때문이다. 따라서 우리는 원자보다 한 수준 위인 분자레벨에서 생명현상을 다시 이해하여야만 하는데, 이러한 탄소원자를 주축으로 해서 이루어지는 거대분자를 단백질(protein), 핵산(nucleic acid), 다당류(polysaccharide), 및 지질(lipid)이라고 한다. 거대분자란 세포 내 고형물질들을 분자수준에서 본 총집합체이다. 가장 작은 생물(미생물)인 대장균의 경우, 물(70%)을 제외한 모두가 단백질(15%), DNA 혹은 RNA로 불리는 핵산(7%), 다당류(3%) 및 지질(2%)로 구성되는 만큼 이들이 결국 세포 내에서 이루어지는 복잡한 생명현상을 지배하는 것으로 볼 수 있다. 이 중 가장 대표적인 거대분자는 핵산이라 일컫는 DNA 혹은 RNA로 볼 수 있는데 이는 생명현상에 있어서 가장 근간이 되는 유전 현상을 관할하며 또 조절하고 있기 때문이다. 즉 DNA 라는 거대분자가 존재하기 때문에 생명체는 20억 년 전이나 지금이나 이 지구상에 존재할 수 있다는 것이다. 그렇다면 이 DNA는 어떻게 생명현상을 지배하는 것일까?

그 이유는 DNA는 세포분열 및 개체의 자기증식이라는 생명의 흐름에 있어서 중요한 관건인 유전물질의 보존과 전달에 꼭 필요하며, RNA는 이 DNA를 이용하여 유전정보의 번역에 관계해 단백질을 만드는데 간여하는 물질이기 때문이다. 생명의 흐름의 원리는 반드시 DNA가 복제되고 이를 이용하여 적당한 세포내 기구가 mRNA를 만든 후 이로부터 리보솜이 아미노산을 이용해 단백질을 만드는 것이다. 거꾸로 말하자면 생물에 필요한 모든 단백질은 mRNA에 존재하는 정보를 이용하여 만들어지는 것이며, 이 mRNA는 반드시 유전자(gene)가 기록된 DNA로부터 copy(전사) 되는 것이기 때문이다. 즉 세포 내 단백질이 만들어 질 수 있는 것은 DNA와 RNA가 존재하기 때문인 것이다. 이러한 DNA와 RNA는 이들이 탄소 유기화합물인 관계로 항상 일정한 구조를 갖게되며 이러한 구조로부터 DNA와 RNA의 고유의 기능이 정해지는 것으로 볼 수 있다. 따라서 모든 생명체는 반드시 DNA와 RNA를 갖게 되는 것이며, 이들은 곧 생명의 시작인 셈이다.

그렇다면 탄소원자의 성질이 생명의 특성을 잘 갖고 있다든지, 이로부터 만들어지는 거대분자가 충분히 생명의 필수조건이 된다는 과학적인 증거만으로 현재 지구상에 살고 있는 수많은 생물의 탄생을 설명할 수 있을까? 사실 이에 대한 해답은 결론부터 말하자면 'NO'일 것이다.

왜냐하면 DNA, RNA 및 단백질이라는 거대분자의 생성 이후 최초의 세포 출현에 대한 과학적인 증거 및 화석 유물을 현재 과학의 수준으로는 얻기가 매우 힘들기 때문이다. 그 원인 중의 하나는 그 당시의 생물들은 세포구조 자체가 단세포 원생동물인 아메바 같은 부드러운 세포막으로 구성되어 퇴적되게 되면 쉽게 썩고 따라서 진흙 속에 흡수되어 버리기 때문에 그 모습이나 존재의 증거를 찾기가 힘들기 때문이다. 그렇지만 고생대의 캄브리아기에 가까워질수록 딱딱한 껍질을 가진 무척추 생물의 존재가 그 시기의 퇴적층 화석증거로 확인되기 때문에 생물의 진화에 대한 증거는 점점 확실해져 간다.

따라서 이에 대한 주요한 설명들은 대부분 가설로 이루어져 있는데 대표적인 것이 러시아의 생화학자 오파린의 '코아세르베이트 가설'이며 현재 대부분의 교과서들은 생물의 기원에 대해서 오파린의 생각을 인정하고 있다. 코아세르베이트란 액적 상태의 물질로 어떤 적당한 조건(온도, 이온의 조성, pH)에서 소수성(물을 싫어하는 성질)에서 거대분자들의 콜로이드(colloids)들이 물에 둘러싸여 있는 모습을 말한다. 정확히 이야기하면 '어떤 액체가 물에 떠있는 상태'인 것이다. 코아세르베이트 덩어리는 주위의 용액으로부터 어떤 물질(특히 소수성인)을 빨아들이려는 경향이 있기 때문에 그 크기는 자연히 증가할 수 있으며, 내용물은 복잡해 질 수 있다. 따라서 코아세르베이트 덩어리는 살아있는 것이라고 할 수 없다. 그렇지만 이것은 그 크기의 증가나 행동방법이 마치 살아있는 생물체와 비슷하다.

그러나 세포 출현 이전의 세포 전구체는 코아세르베이트라기보다 시드니 폭스에 의해 명명된 '단백질성 미세입자'로 보는 것이 더 유력한데, 이 단백질성 미세입자는 뜨거운 단백질의 액체용액이 식어가면서 자연적으로 생기는 덩어리를 지칭한다. 이 입자의 특징은 1) 저장액에서 부풀며 반대로 고장액에서의 수축현상, 2) 이중 경계막 형성, 3) 입자 내부의 흐름, 4) 크기의 증가와 복잡성, 5) 효모와 같은 출아법에 의한 분열, 6) 박테리아에서 볼 수 있는 집합체적 모습 등으로 이러한 성질들은 보다 더 생명체의 모습과 비슷하다. 즉 이러한 생물체적 구조를 갖는 것에다 거대분자가 가질 수 있는 생명현상이 자연발생적으로 집합된다면 우리는 충분히 그러한 것들을 생물세포의 전구체로 볼 수 있다.

이러한 전구체로부터 출발한 화석상의 최초의 생물은 원핵세포의 일종인 박테리아(세균)로 약 35억 년 전 전의 지질시대로부터 나타나고 있다. 이 박테리아는 약 30억 년 전 얕은 바다(수심 약 10 미터)에 서식하면서 이산화탄소를 이용해 광합성결과로 산소를 만들어 내기 시작하였다. 이 박테리아가 석회 부착물과 퇴적층을 이룬 것을 스트로마톨라이트라고 하는데 이는 오늘날에도 오스트렐리아와 남아프리카에서 계속 만들어지고 있다. 이 정도의 깊이에서는 생물에게 해로운 자외선은 물에 흡수되어 생물에게 별 영향을 미치지 않는 것으로 알려져 있다. 또한 이들이 광합성 작용의 산물로 만들어 내는 산소가 바다에 녹기 시작하였고, 긴 시간(약 10억 년)을 통하여 녹은 산소는 바닷물에 포화되어 대기 중으로 분출되기 시작하면서 산소가 풍부한 대기를 출현시켰다고 보고 있다. 이 때가 약 20억 년쯤으로, 이것에 대한 증거는 바닷물에 녹은 산소가 철(iron)이온과 화합하여 산화철(Fe_3O_4)로 되는데 이 침전물이 만들어 놓은 거대한 철광상이 오스트렐리아나 캐나다에서 발견되고 있다. 이들 철광맥의 지질학적 침전 연대가 약 20 억 년 전의 것으로 자가영양균의 출현과 일치하고 있다는 사실로 증명되고 있다.

Ⅱ. 생명의 출현과 생물의 진화에 있어서의 문제점

진핵세포의 탄생은 지금으로부터 약 21억 년 전으로 보고 있는데, 이는 최초의 원핵세포가 화석상으로 나타난 지 대략 14억 년 후(!)이다. 생명체인 세포가 핵을 가지게 되었다는 것은 그 가운데 염색체를 가짐으로써 염색체에 있을 수 있는 많은 유전자가 존재하게 되었다는 것을 의미하며, 많은 유전자의 존재는 보다 더 복잡한 생명활동을 가능케 하는 것이며, 이로 인하여 계속해서 복잡한 구조를 갖는 고등생물이 만들어 질 수 있음을 의미하는 중대한 시작인 것이다. 그렇지만 현재까지 핵이 어떻게 세포 내 존재하게 되었는지에 대해서 납득할 만한 설명이 없다.

진핵세포는 어떻게 지구상에 출현할 수 있는가? 린 마걸리스에 의해 제창된 '내부공생 가설'에 의하면, 진핵세포의 세포 내 소기관인 미토콘드리아는 오래 전에 독립적으로 생활을 하던 외부의 원핵세포인 박테리아가 숙주세포에 들어와 숙주세포와 기생이 아닌 공생을 시작함으로써 존재하게 되었다고 한다. 미토콘드리아는 원래 태고의 호기성 박테리아에서 유래하였고, 식물세포의 엽록체는 광합성 세균인 시아노세균이 공생하게 된 것이다. 미토콘드리아와 엽록체가 공생으로 만들어진 것이 아닌가하는 생각은 오래 전부터 있었지만, 그녀는 생물학의 새로운 사실을 통합하여 더욱 확고히 하였는데. 그 중에서 특히 분자생물학적 연구로부터 미토콘드리아와 엽록체가 세포의 핵에 있는 DNA와는 달리 각각 독자적인 DNA를 유전물질로 갖는다는 것과 이들의 DNA가 원핵세포의 DNA와 유사하다는 특성은 주목할 만한 것이다. 이러한 '내부공생 가설'은 앞으로 계속될 원시세포의 진화 연구와 지구상 진핵세포의 출현에 대한 중대한 실마리가 되고 있다.

진핵세포가 지구상에 탄생한 이래 현존하는 동·식물의 공통의 선조는 지금으로부터 약 12억 년 전에 출현하였다고 생각되어지는데 이는 진핵생물 탄생의 연대 추정치 와 함께 분자계통학적 방법에 의해서 얻어진 것이지 직집적인 증거는 없다. 이론상으로 12억 년 전부터 동물과 식물이 분기되었다고 보지만, 육지에서의 식물의 눈부신 진화는 그것보다 훨씬 뒤인 고생대 중엽인 데본기 즉, 지금으로부터 4억 년 전쯤이다.

그러나 캄브리아기가 시작되면서 생물의 진화의 모습이 잘 이해되기 시작했다. 이것은 지금으로부터 약 5억 7,000만 년 전의 일로써, 이 시기가 되면서 삼엽충을 비롯한 많은 체계적으로 진보한 동물의 화석이 나오게 되었으며, 그 이유는 이 때의 많은 생물들이 단단한 껍질을 갖게 되었기 때문이다. 또한 캄브리아기의 화석 가운데 현재의 어떠한 동물군에도 속하지 않는 기묘한 체제를 갖는 동물(에디아카라 동물군)이 발견되는데, 이것들은 진화의 과정에서 시행착오에 의해 실패작으로 도중에 절멸하였다고 생각되어진다.

생명의 기원 문제에 있어 중요한 가설은, 생물은 자연적 방법의 상호작용의 결과로써 먼 과거의 어느 시간에서 자발적으로 생겼다는 것이다. 우리는 간단하게나마 이 가설을 지지하는 증거를 고려했다. 그러나 그것은 우리가 과학의 한계 내에 머무르면서, 우리가 무엇이 일어났었는가는 설명하도록 시도할 수 있는 하나의 가설이다. 아마도 더 많은 연구를 함으로써 그러한 재구성은 이 가설의 가능성을 향상시킬 수 있을 것이다. 이러한 가설의 대표적인 것이 생물에 대한 진화론으로 아마도 어떤 진보적인 과학이론 보다 가장 논쟁의 여지가 많고 또 인기 있는 과학의 주제이기도 하다. 진화론은 과학이론의 하나인데 이는 과학의 이름으로, 종교적 믿음을 대신하는 철학이다. 대표적인 찰스 다윈의 진화론은 세계관적 확장과 과학적 요소들이 완전히 얽혀 있는 것으로 대부분의 진화론자들은 이에 만족하고 있다.

다윈의 진화론은 잘 알려진 바와 같이, 종의 자연도태와 약육강식의 논리로 대표될 수 있는데, 다윈은 어떤 종에서 모두가 성장할 수 있는 것보다 훨씬 많은 수의 후대가 출생하며(인간을 생각해 보라!), 이들 중에서 생존경쟁이 일어나기 때문에 자연계에서 도태가 일어나는 것으로 생각했다. 특히 이러는 중, 개체의 생존에 조금이라도 유리한 변이가 존재하면서 변화된 유전형질을 갖는 우수한 개체가 약육강식의 법칙 아래서 더욱 늘어나고 그 유전형질은 점차로 종 내에 퍼져나간다고 하였다. 이러한 다윈의 생각은 생물의 진화를 과학적으로 설명할 수 있게 해주는 주요한 요인이 되어 현재의 과학과 철학분야에 심오하게 영향을 아직도 주고 있다.

한편 인간의 진화에 대해서 생각해보면, 생물학적 지식이 폭발적으로 발전함을 경험한 우리는 진화론이 나온 지 100년 후부터 있음직한 공통 선조에 대한 탐색을 시작했는데, 유진 듀보아, 올두바이 조오지, 도날드 요한슨, 그리고 리키 부부 등의 노력으로 여러 종의 인간들이 화석유물에 나타났고, 이 화석들은 지금 인간 진화의 강력한 증거로 간주되고 있다. 여기에 현존하는 영장류의 DNA와 단백질로부터 가장 최신의 증거들을 더하고 있으며, 이러한 증거들이 백년 전 헉슬리가 인상깊게 생각한 인간과 고릴라, 침팬지 사이의 유사성을 입증하고 있다. 이러한 인간진화에 대한 인류의 관심은 오늘날 과학적 탐구의 가장 잘 알려진 분야의 하나가 되었다.

결국 생명의 기원에 대한 설명으로써 진화론은 생물학적 개념이고 매우 복잡한 것이다. 이는 데이터들과 논리적 추론에 근거한 생물학적 사고와 연구를 위한 주요 패러다임이지만, 결코 증명될 수 없는 엄청난 창의성 있는 어림짐작을 요구한다. 그러나 진화론은 약점들이 있다. 즉,

불확실성이 항상 과거의 일까지 껴들어 있으며, 화석자료는 불완전하다. 특히 유전자 구조와 조절에 대한 분자적 연구에서 나온 정보를 고려할 때, 진화론에는 많은 미해결된 문제가 남아있는 것으로 알려져 있다.

Ⅲ. 생명의 복제와 인류의 기원

"인간복제!" 사람이 과연 사람에 의해 배양기 안에서 만들어지고 붕어빵 찍어내듯이 대량생산될 수 있을까 ? 불과 5년 전만해도 공상과학 영화에서나 볼 수 있었던 이야기가 연일 신문지상에 오르내리면서 우리를 한편으로는 경이롭게 하고 그러나 또 한편으로는 섬찟한 느낌을 숨길 수 없게 만들고 있다. 물론 앞의 문장은 과장이 많이 섞여 있고 실제로는 동물을 복제하려면 복잡하고도 대단히 정교한 작업들이 필요하기 때문에 "배양기"라든가 "대량생산"의 가능성은 아직 현실적으로 매우 희박하다. 그럼에도 불구하고 "복제"라는 단어가 주는 뉘앙스는 인류의 미래에 대해 불확실하고도 엄청난 공포심을 자아내기에 충분한 것이다.

복제인간이 탄생한다면 어떤 일이 벌어질 것인가? 당신의 복제품이 은밀히 범죄를 일으키고 다니는데 정작 경찰에 잡혀가는 것은 당신일 것이다. 아무리 변명을 해도 소용이 없다. 범인의 모습이 바로 당신이니까. 심지어는 복제인간을 만들어 신체 장기를 사고 파는 미친 행위가 일어날 가능성도 배제할 수 없다.

1980년대 초 어느 대학에서 모임이 있었다. 그때는 유전공학의 수준이 겨우 초창기에 불과하였는 데에도 젊은 유전학자들과 선배 학자들 사이에 대단히 열띤 논쟁이 진행되었다. 젊은 학자들이 과학의 발달과 인류의 복지를 위해 다소의 위험은 감수해야 한다고 강조하는 반면 나이 지긋한 교수들은 역시 같은 이유 때문에 유전자 조작은 금해야 한다고 주장하던 모임이었다. 제 3의 생명체가 만들어져서 실험실 밖으로 흘러나가고 원래 의도와는 상관없이 인류를 오히려 혼란에 빠뜨리게 된다면 그 책임은 누가 감당하느냐는 유전공학을 금해야 한다는 당시의 이유였다. 그러나 이 모임 이후 아직까지 다행히도 우려했던 만큼의 심각한 위험은 없었고 때문에 유전공학은 별다른 제재없이 빠르게 발전될 수 있어 왔다.

그러나 이제는 문제가 당시와 많이 다르다. 그동안 실험실 안에서만 진행되던 유전학의 산물들이 우리생활에서 실용화되기 시작했기 때문이다. 유전적으로 조작된 식품들이 이미 식탁에 오르고 있고 복제된 양이나 소의 고기가 곧 우리 입맛을 좌우할 것이기 때문이다. 더욱이 이러한 기술이 인간에게도 적용될 수 있다는 가능성이 현실로 나타난 이상 이제 우리는 인류의 생존 자체를 놓고 더욱 신중을 기하지 않을 수 없다.

이럴 때 가장 중요한 것은 과학자의 진실된 양심과 도덕성일 것이다. 어떠한 기술과 이론이라도 빠르게 교류되는 것이 오늘날 유전학계의 현실이고 그 대상이 양이었든지 원숭이였든지 상관없이 포유동물에서 일단 성공한 이상 사람에게도 곧 적용될 수 있기 때문이다. 맛있는 고기를 제공하고 많은 우유를 낼 수 있는 소를 복제하며 질병과 추위에 강한 벼의 복제품을 이용하여 식량 문제를 해결하고 멸종해가는 동물자원을 보호하는 것은 분명히 유전학이 인류에게 줄 수 있는 최고의 선물일 것이다. 그러나 분명한 것은 이 기술이 조금이라도 잘못 이용될 가능성이 있다면 인류 스스로 자신의 능력을 적절히 조절하고 통제할 수 있어야 한다는 것이다. 과학의 발달은 지극히 자연적인 것이기에 막을 수도 없고 또한 막아서도 안될 것이다. 건강하고 밝은 미래를 위해 인류 스스로의 현명한 판단이 더욱 절실히 요구된다 하겠다.

미토콘드리아 DNA를 조사하여 인류의 기원을 추적하는 것은 분자유전학이 올린 또 하나의 개가이다. 이에 따르면 인류가 처음 출현한 곳은 아프리카로서 그 시기는 약 20만 년 전이 되는 셈이다. 물론 미토콘드리아 이브는 성경상의 이브와 그 의미가 동일하지는 않다. 성경상의 이브가 문자 그대로 최초의 사람을 지칭하는 반면 미토콘드리아 이브는 그 자손이 계속 끊이지 않고 살아남아 현존하는 사람들의 공통 조상이 되었다는 것 뿐, 반드시 최초의 여성일 필요는 없기 때문이다. 인류의 기원을 찾고자 하는 것은 우리 모두의 숙원일 것이다. 지금까지는 그 연구를 주로 화석에만 의존하였기 때문에 화석이 남아 있지 않거나 잘못된 해석을 내렸을 경우 인류가 출현한 시기나 장소 등 중요한 문제에 대해 중대한 오류를 일으킬 가능성이 높았다. 분자유전학의 발달로 인해 이제 인류는 새로운 차원에서 뿌리를 찾는 노력을 시도할 수 있게 되었고 고생물학과의 접목으로 인류의 기원을 찾는데 획기적인 발전이 있을 것으로 기대된다.

인류의 기원을 찾기 위해서 어떤 사람들은 지구 밖으로 눈을 돌리기도 한다. 화성에서의 생명체 존재 가능성이 언급된 것은 지금까지 인류가 발견했던 그 무엇과도 비교할 수 없을 정도로 중대한 사실이 아닐 수 없다. 이 발견은 인류의 무한한 잠재력을 보여주는 것인 동시에 이제 인류가 그 활동 무대를 우주로 옮길 때가 되었음을 암시하는 것이기도 하다. 21세기를 생명과학과 우주과학의 시기라고 한다면 지나친 표현이 될까? 우리의 보금자리 지구, 이 아름다운 지구의 모습은 너무도 생기있고 활기차 보인다. 우리 삶의 근원인 이 지구를 건강하게 보존할 책임은 우리 모두의 것이다.

참고문헌

1. 뉴턴코리아. 2008. 생명이란 무엇인가? Newton Highlight. 뉴턴사이언스.
2. 뉴턴코리아. 우주에 떠있는 “기적의 행성” 지구. Newton 2010년 9월호.
3. 류왕식. 2010. 바이러스학. 라이프사이언스.
4. 이상태. 2010. 식물의 역사. 지오북.
5. Alcamo, Edward. 2004. 미생물학 입문 (권기석 외 16인 역). 월드사이언스.
6. Boyer, Rodney. 2007. 생화학의 이해 3판 (조성호외 11인 역). 월드사이언스.
7. Crick, Francis. 1992. 생명의 출현 (홍영남 역). 아카데미서적.
8. Dawkins, Richard. 2004. 눈먼 시계공 (이용철 역). 사이언스 북스.
9. Fox, Sidney and Dose, Klaus. 1977. Molecular Evolution and the Origin of Life. Marcel Dekker, Inc.
10. Lehninger, Albert. 1986. 생화학 (박동기 역). 유한문화사.
11. Lovelock, James. 2004. 가이아: 살아있는 생명체로서의 지구 (홍욱희 역). 갈라파고스.
12. Milton, Richard. 2009. 다윈도 모르는 진화론 (이재영 역). AK.
13. Palmer, Douglas. 2010. 35억 년, 지구 생명체의 역사 (강주헌 역). 예담.

14. Staguhn, Gerhard. 2009. 유혹하는 우주 (이민용 역). 옥당.
15. Wright, Richard. 1995. 신앙의 눈으로 본 생물학 (권오식 역). 한국기독학생출판부.

저자약력

- 권오식(權五湜)
  - 고려대학교 농학과, 학사 및 석사
  - 미국 U. C. Davis, 미생물학 Ph.D. (바이러스학 전공)
  - 미국 Cetus Corporation, Postdoctoral Scientist
  - (현) 계명대학교 미생물학과 교수
  - 저서 : 성서와 과학의 대화(계명대 출판부)
  - 역서 : 신앙의 눈으로 본 생물학(IVP), 생화학의 이해(월드사이언스), 필수 유전학(월드사이언스) 외 다수

- 유민(柳敏)
  - 연세대학교 생물학과, 학사
  - 미국 Kent State University, 생의학 Ph.D. (발생유전학 전공)
  - 미국 U. of Michigan, Ann Arbor, Postdoctoral research fellow
  - (현) 계명대학교 생물학과 교수
  - 저서 : 암이라고요?(계명대 출판부), 결혼, 성과 유전(지코사이언스), 유전자 치료(보문각) 외 다수

생명의 기원(개정판)

2011년 3월 1일 | 초판1쇄 인쇄
2011년 3월 5일 | 초판1쇄 발행

옮긴이 | 권오식 · 유민
펴낸이 | 신일희
펴낸곳 | 계명대학교출판부
704-701 대구시 달서구 달구벌대로 2800
전화 053-580-6233 팩스 053-583-5213
http://www.kmupress.com

등 록 | 1970. 9. 1. (신고번호 제347-1998-1호)

ISBN 978-89-7585-528-3

값 10,000원